мастер криминальных тайн

Чингиз АБДУЛЛАЕВ

МАГИЯ ЛЖИ

ЭКСМО
МОСКВА
2014

УДК 82-3
ББК 84(2Рос-Рус)6-4
А 13

Оформление серии *А. Саукова*

Абдуллаев Ч. А.
А 13   Магия лжи / Чингиз Абдуллаев. — М. : Эксмо,
2014. — 288 с. — (Мастер криминальных тайн).

ISBN 978-5-699-70137-7

После смерти Туркменбаши высокопоставленный чиновник Яг-мыр Пурлиев бежал из Ашхабада и скрылся от новых туркменских властей в Москве. Прошли годы. Пурлиев прочно обосновался в России: организовал прибыльный бизнес, купил шикарный авто-мобиль и построил роскошный особняк в фешенебельном подмо-сковном поселке. Стал богатым и уважаемым человеком и о родной Туркмении совсем позабыл. Но в один прекрасный момент все из-менилось. Пурлиев заметил за собой слежку и решил, что его снова преследуют сотрудники госбезопасности Туркмении. Он обратился за помощью к сыщику Дронго и попросил выяснить, что же нужно туркменским властям от него. Ведь прошло уже столько лет...

УДК 82-3
ББК 84(2Рос-Рус)6-4

ISBN 978-5-699-70137-7

Кружилось надо мной вранье,
Похожее на воронье.

Белла Ахмадулина

Обычно наши действия так резко противоречат друг другу, что кажется невероятным, чтобы они исходили из одного и того же источника.

Мишель Монтень

Счастье и ложь не могут сосуществовать, ибо в тот день, когда счастье будет признано ложью, оно перестает быть счастьем.

Андре Моруа

Глава 1

Когда пошел дождь, они не стали ускорять шаг, не обращая внимания на крупные капли, падающие сверху. Автомобиль свернул на повороте, высадив обоих друзей достаточно близко к дому, где находился их офис. Со стороны это было неприметное здание, находящееся в одном из дворов на проспекте Мира. Обычно машина высаживала их на углу, не подъезжая к офису, чтобы не привлекать внимания соседей. Двое приехавших мужчин редко бывали здесь. В основном в офисе работали Леонид Кружков и его супруга, выполнявшая обязанности секретаря. Вдвоем они занимались всеми техническими проблемами. Тогда как Дронго и его напарник Эдгар Вейдеманис предпочитали принимать гостей в московской квартире Дронго, в которой он проживал один.

Но сейчас оба напарника спешили на встречу с необычным посетителем, настаивавшим на подобном свидании уже почти два месяца. Все началось с того, что однажды незнакомец позвонил Вейдеманису, узнав неизвестно каким образом его телефон, попросил о срочной встрече, не называя своего имени и цели своего возможного визита. Эдгар вежливо пояснил, что Дронго нет в Москве. Назойливый посетитель перезвонил через две недели, опять не представившись и не назвав причину своего звонка.

Вейдеманис снова ответил, что его напарник находится в Италии и прибудет только через две недели. Неизвестный требовал дать ему номер телефона эксперта, но Эдгар отказался, сказав, что не может этого сделать. Мужчина звонил еще несколько раз, а три дня назад во время очередного звонка сообщил, что знает о приезде господина Дронго и просит принять его по неотложному делу. На этот раз он представился, назвавшись Ягмыром Пурлиевым.

Было решено принять его в здании офиса на проспекте Мира, куда и направлялись двое напарников, чтобы познакомиться с назойливым незнакомцем. Ровно в полдень за дверью появился мужчина лет пятидесяти, среднего роста, достаточно тучный, коротко остриженный, с характерным разрезом азиатских глаз. У него были мясистые, немного оттопыренные уши, густые брови, тяжелый подбородок, полные губы. Уже по его имени и фамилии Дронго понял, что необычный визитер — выходец из Туркмении. Слово «Ягмыр» означало по-туркменски «дождь». Он сидел в кабинете, когда Вейдеманис вместе с гостем появились на пороге. Дронго поднялся, пожал гостю руку, и мужчины расселись в кресла.

— Я вас слушаю, — сказал эксперт, заметив при этом: — Вы проявили достаточно большую настойчивость, пытаясь встретиться со мной.

— Верно. Мне было просто необходимо с вами встретиться. И с каждой неделей необходимость такой встречи только возрастала. Мне кажется, что только такой человек, как вы, может помочь мне и моей семье.

— Давайте по порядку, — предложил Дронго. — Какое у вас дело и чем именно я могу вам помочь?

— Я из Туркмении, — начал гость, — работал там заместителем министра экономики. Но десять лет назад я оттуда сбежал. Чудом сбежал. Тогда было совершено покушение на жизнь нашего бывшего президента Сапармурада Ниязова. И в этом покушении обвинили целую группу высокопоставленных чиновников, среди которых были министр иностранных дел Борис Шихмурадов и министр сельского хозяйства Имамберди Ыклымов. В число «заговорщиков» случайно попал и я. Уже тогда все понимали, что это просто очередная кампания по избавлению от неугодных людей, которых «Великий вождь всех туркмен» решил поменять. Меня объявили в международный розыск вместе с несколькими чиновниками, которым удалось сбежать. Остальных арестовали. Как мне удалось бежать, об этом лучше не вспоминать. Это настоящий детектив. Я удрал практически в одном костюме. К счастью, в этот момент моя супруга с дочерью были в Европе, и мне удалось перехватить их, пока они не вернулись назад, в Ашхабад. С тех пор мы и живем в Москве. Вот уже сколько лет. В общем, обычная история политического эмигранта.

— И вы не пытались вернуться обратно в Туркмению после смерти Туркменбаши? — спросил Дронго.

— Нет, конечно, — ответил Пурлиев, — разве вы не знаете, что там ничего не поменялось. Одного Туркменбаши сменил другой. Некоторые уверяют, что это был его внебрачный сын. Они действительно очень похожи. Но я думаю, что это обычные слухи. Просто Бердымухаммедов был любимчиком Ниязова. Иначе он бы не стал министром здравоохранения и вице-премьером. Знаете, что такое должность министра здравоохранения в такой мусульманской стране, как наша? Это «хозяин жизни», который знает много секретов, в том числе и про истинное состояние здоровья очень больного Ниязова. На должность министра здравоохранения обычно назначают либо близких людей, либо родственников. Все знали, что у Ниязова был тяжелый диабет и проблемы с сердцем. Но он пытался держаться молодцом, строил планы на много лет вперед.

«Великий вождь» был очень «скромным человеком». Он отказался от шестого звания Героя Турмении, решив, что достаточно быть пятикратным. В конце концов переплюнуть Брежнева ему не захотелось. Вы, наверное, слышали, что он отменил Восьмое марта, перенеся женский праздник на день рождения своей матери. Может, даже слышали про нашу Конституцию со словами верности Туркменбаши. И это в двадцать первом веке!

— Обычная мусульманская страна со своим диктатором, — улыбнулся Дронго, — ничего отличного от других республик Средней Азии. Может, только культ был немного смешным. Я читал его опусы. Покойный Туркменбаши всерьез уверял, что колесо и телегу изобрели туркмены, и вообще туркмены являются прародителями более чем семидесяти народов. Такой вот великий народ. А потом он своим указом закрыл оперу, балет и цирк, пояснив, что туркменам не нужны эти виды искусства, упразднил творческие союзы и закрыл библиотеки. Как видите, я знаю достаточно о вашей республике.

— Я так и думал, — кивнул Пурлиев, — поэтому и искал такого известного эксперта, как вы. Практически все знакомые прокуроры и следователи уже здесь, в Москве, уверяли меня, что вы самый лучший сыщик.

— Давайте более конкретно, — предложил Дронго.

— Конечно. Вам будет гораздо легче понять, что именно происходит с нашей семьей. В последние несколько месяцев я чувствую, что за мной следят. Видимо, новый «Вождь» решил послать сюда своих агентов, чтобы выкрасть меня или членов моей семьи и попытаться вернуть обратно в Ашхабад. Я даже думаю, что речь идет не столько обо мне, сколько о моих жене и дочери. Меня взять живым им не удастся, а вот если они возьмут кого-то из членов моей семьи, мне придется вернуться. Если вы помните, в Ашхабад добровольно вернулся бывший министр иностранных дел Борис Шихмурадов. Говорили, что в заложниках у власти были его близкие люди. И когда он появился, сразу состоялся публичный процесс в стиле тридцатых годов. На нем бывший министр иностранных дел «признавался» во всех несуществующих грехах. Говорил, что мы действительно преступная группа, и в нас нет ничего человеческого. В общем, эти мерзавцы заставили его исполнить свою роль до конца, — жестко добавил Пурлиев.

— А вы ничего подобного не делали и пострадали случайно? — пытаясь избежать сарказма, произнес Дронго.

— Полагаю, что да. Ни в каких заговорах я не замешан. Ни в каких антиправительственных кампаниях не участвовал. Я был близок к некоторым министрам, и это меня погубило. Десять лет назад мне было только тридцать пять, и я считался одним из самых перспективных политиков в нашей стране. Но меня всего лишили — дома, работы, родителей — и выкинули из страны без ничего.

— И где вы обитаете в Москве?

— В Жуковке. Мы купили там небольшую дачу.

— Понятно. И вы считаете себя несправедливо обиженным, за которым сейчас идет охота туркменских спецслужб?

— Да, — кивнул Пурлиев, — поэтому пришел к вам просить о помощи. Сейчас понимаю, что нужно было действительно бороться с этим преступным режимом. Это был просто перевернутый мир. И мы молчали, никак не протестуя, — с нарастающим ожесточением добавил он.

— И теперь вы стали оппозиционером, — не скрывая иронии, заметил Дронго.

— И непримиримым, — подтвердил Пурлиев, не обращая внимания на сарказм своего собеседника. — Уже здесь, в Москве, я осознал, в чем именно состоит мой долг. Мы будем бороться до конца с этим преступным режимом. Теперь дети в школах изучают не дебильные тексты бывшего диктатора, а опус нынешнего президента «К новым высотам прогресса». Все повторяется по кругу.

— И в случае с оппозиционерами тоже, — неожиданно согласился Дронго. — Дело в том, что я встречал много подобных оппозиционеров из бывших чиновников и функционеров, которые становились непримиримыми оппонентами действующей власти, как только их лишали занимаемых постов и соответственно денежных доходов. Так происходит во многих республиках бывшего Союза. Пока чиновник или депутат у власти, он клянется в верности существующему режиму и президенту. Какие только слова он не готов говорить в адрес правителя, какие заявления в своей верноподданности делать. Но как только его лишают этой власти и бюджетной кормушки, откуда он черпает свои неправедные доходы, он сразу переходит в оппозицию. Вы не можете себе представить, сколько бывших министров и депутатов я знаю, которые «прозревают», лишившись своих постов, и сразу начинают говорить о демократии и справедливости. Причем чем больше они получили на прежней должности, тем сильнее их досада и разочарование и с тем большей яростью они готовы драться за свои утраченные привилегии и деньги. Вам не кажется, что у вас похожий случай?

— Почему вы так решили? — нахмурился Пурлиев.

— Посмотрите на свои часы. Это ведь «Вашерон Констант». Такая модель стоит около сорока тысяч евро. И еще вы живете в Жуковке, на небольшой даче, как вы сказали. Любая недвижимость в этом поселке начинается с миллиона долларов. Сколько стоит ваш участок? Два, три, пять миллионов?

— Я бизнесмен, — возразил Пурлиев, — и у меня хороший бизнес.

— Не сомневаюсь. Учитывая, что десять лет назад вы сбежали в одном костюме, оставив все в Ашхабаде. Когда вы купили свой дом в Жуковке? Только откровенно, иначе я не буду с вами вообще разговаривать. Учтите, что это легко проверить.

— Девять лет назад, — нехотя выдавил Пурлиев.

— Тогда получается, что вы за год заработали деньги на дом в Жуковке, — усмехнулся Дронго. — Значит, вы либо торговали наркотиками, либо получили нефтяную скважину.

— Не нужно меня оскорблять, — возмутился Пурлиев, — я бизнесмен...

— Это я уже слышал. Вы пришли к нам за помощью. Если мы не будем доверять друг другу, то ничего не получится. Вы даже не можете себе представить, сколько известных людей я знаю в Баку, Тбилиси или в Астане, которые, сидя на бюджетных должностях и успешно воруя государственные бюджетные средства, были верными сторонниками правящих кругов. А как только их отстраняли от кормушки, они превращались в борцов с правящими режимами. Человеческая порода неизменна в своих худших проявлениях. Это в данном случае не к вам, это вообще мои рассуждения о подобных «политиках». Вы, очевидно, имели счета за рубежом, о которых не знали в Ашхабаде? Только не отрицайте очевидного, вы ведь были «бизнесменом», еще работая заместителем министра?

— Никто не возражал против того, чтобы мы занимались бизнесом, — негромко произнес Пурлиев, — это было уже не социалистическое общество.

— Прибыль — прежде всего, — кивнул Дронго, — все понятно. Где вы сейчас работаете?

— У меня небольшая инвестиционная компания, — уклончиво ответил гость, — не очень крупный бизнес. Только девятнадцать сотрудников. Но на жизнь удается заработать, с голоду мы не умираем.

— Понятно. А чем именно вы занимались в министерстве экономики, какую сферу курировали?

— Газовые месторождения и контракты. — Было заметно, что гостю не очень хочется говорить на подобные темы, но он сознавал, что Дронго легко проверит его ответы. Достаточно найти любого знакомого в Ашхабаде и узнать, чем именно занимался бывший заместитель министра экономики.

— Туркмения занимает второе место в мире по газовым месторождениям, — задумчиво проговорил Дронго. — Тогда все понятно, вы приехали в Москву не самым бедным человеком и не можете простить ашхабадским властям, что вас лишили подобных доходов.

— Возможно, и так, — согласился Пурлиев, неприятно усмехнувшись, — я не могу и не хочу им простить, что они лишили меня Родины на целых десять лет. Лишили общения с родителями и родственниками, которые остались в Туркмении. Я ведь мог стать министром, и все считали, что я буду на этой должности очень компетентным и подготовленным. А из-за всей этой истории мне пришлось бежать из страны. И даже теперь они не могут оставить меня в покое.

— Что именно вы хотите?

— Прежде всего обеспечить безопасность моей семьи, — пояснил Пурлиев, — я готов заплатить любые деньги, чтобы они оставили в покое мою жену и дочь. Я мог бы послать их куда-нибудь в Европу, но боюсь, что их найдут и там. Но самое ужасное, если они уедут, я не смогу поехать с ними, ведь я до сих пор нахожусь в международном розыске. И мне посоветовали обратиться именно к вам. Меня уверяли, что только вы можете решить наши проблемы.

— Интересно, каким образом? Попросить нового главу Туркмении не преследовать вас?

— Не знаю. Но вы, правда, не представляю, каким образом, сможете защитить мою семью. Я прошу вас согласиться на наше сотрудничество и завтра утром приехать ко мне в Жуковку, чтобы мы могли на месте все обговорить.

— Почему ваша страна просто не требует вашей выдачи? — поинтересовался Дронго.

— Это невозможно. Я получил пять лет назад российское гражданство, — пояснил Пурлиев, — и моя семья — тоже граждане России.

— Тогда нужно обращаться за помощью к местным правоохранительным службам. Они обязаны вас защитить.

— Нет, — возразил Пурлиев, — никто из них не сможет меня нормально защитить. Да и потом, у меня могут быть проблемы...

— Гражданство, — понял Дронго, — очевидно, и его вы получили соответствующим образом, то есть не очень законно?

— Откуда вы знаете? — поразился Пурлиев.

— Бывший чиновник, привыкший решать вопросы нетрадиционным способом, — ответил Дронго, — вы просто купили гражданство себе и членам своей семьи? Верно?

— Да. Именно поэтому я не могу обращаться в местные правоохранительные органы, может всплыть слишком много вопросов. А вам будет легче. Мне говорили, что у вас большие связи с местными следователями, прокурорами, полицией. Вы ведь самый известный эксперт, и вас все знают, в том числе и в Туркмении.

— С чего вы взяли, что за вами следят? Если это профессионалы, то вы не должны были их заметить.

— Они работают достаточно грубо. Даже мой водитель обратил на них внимание. Обычно дежурят на выезде, где начинается шоссе. Там крутой поворот. Их машины идут следом за нами, почти не таясь. Поэтому я искал вас. Я боюсь за свою семью, — торопливо произнес Пурлиев.

Дронго нахмурился.

— Речь идет о моей супруге и дочери, — добавил гость. — Я прошу вас завтра приехать к нам и самому убедиться во всем. Конечно, вы можете отказаться, я же не могу вас заставить.

— Сколько лет вашей дочери? — вместо ответа спросил Дронго.

— Уже семнадцать. Сложный возраст. В следующем году она будет поступать в институт, и я хотел бы оградить ее от разных проблем.

— А супруга? Чем она занимается? И сколько ей лет?

— Тридцать девять. Она вышла за меня замуж, когда ей было чуть больше двадцати и она училась в медицинском на пятом курсе. Потом работала некоторое время врачом, но после рождения дочери я решил, что будет правильно, если она уйдет с работы и займется воспитанием ребенка. К тому времени я был уже начальником управления Министерства экономики. Мне было двадцать девять лет. У нас с ней шесть лет разницы.

— В Москве она работает?

— Конечно нет. Сначала мы получали гражданство, потом пытались прятаться от старых властей, сейчас от новых. Все перемешалось, — вздохнул Пурлиев.

— И молодая женщина столько лет сидит дома?

— Она не сидит дома, — мрачно пояснил гость, — ездит по курортам, у нее есть подруги, отдыхает в Крыму, где мы купили небольшой домик на побережье. Не беспокойтесь, она не скучает. Не нужно думать о ее работе, главное — обеспечить ее безопасность.

— Вы говорили, что боитесь за них, а сейчас вспомнили, что они отдыхают в Крыму и часто ездят за границу, — заметил Дронго.

— Это было раньше, — быстро произнес Пурлиев, — сейчас они постоянно дома и никуда не выезжают. Я понимаю, что от нынешних властей в Ашхабаде можно ждать любой пакости. Особенно после того, как я начал активно поддерживать оппозицию.

— Давно?

— Что? — заерзал в кресле гость.

— Давно вы начали поддерживать оппозицию? — уточнил Дронго. — Вы ведь сказали, что не были замешаны ни в чем подобном и вас несправедливо обвинили. Подобные расхождения могут отбить у меня охоту заниматься вашим делом.

Пурлиев нахмурился.

— Тогда — да, а сейчас я действительно их поддерживаю. И хочу, чтобы в нашей стране начались по-настоящему демократические перемены, — несколько пафосно воскликнул он.

Дронго переглянулся с Вейдеманисом и спросил:

— Когда это началось?

— Примерно два месяца назад.

— И вы сразу решили обратиться ко мне за помощью?

— Да, именно так.

— Тогда я не совсем понимаю, зачем вы им нужны. «Великий вождь» уже умер, а новому лидеру вы не должны быть интересны.

— Я поддерживаю связи с демократическими группировками туркменской оппозиции в Москве, — настойчиво повторил Пурлиев. — Возможно, им это не понравилось, и они решили таким образом меня запугать.

— Никому не нравится, когда кто-то спонсирует деятельность оппозиции, — заметил эксперт.

Пурлиев дернулся и хрипло произнес:

— С вами опасно разговаривать, вы словно читаете мои мысли. Вы согласны мне помочь и завтра приехать к нам в Жуковку?

Дронго взглянул на молчавшего Вейдеманиса, на лице которого не отражалось никаких эмоций.

— Я готов выплатить любой гонорар, — добавил Пурлиев. — Мне нужна ваша помощь, не забывайте, что речь идет о моей семье. Назовите вашу сумму.

— Посмотрим, — наконец ответил Дронго. — Мы продумаем с моим напарником план действий и решим, чем именно можем вам помочь.

— Но завтра вы приедете? — настойчиво повторил Пурлиев.

— Да, — кивнул Дронго, — часам к двенадцати, если вас это устроит.

Глава 2

Эдгар проводил гостя и вернулся обратно в кабинет.

— Что ты об этом думаешь? — спросил он у Дронго.

— Типичная история бывшего чиновника, который сидел на бюджетном воровстве и, лишившись его, до сих пор переживает, мечтая снова вернуться в прежние времена. Их так много, и как только они лишаются кормушки, сразу вспоминают о демократии и кричат о тирании. Понятно, что этот тип сбежал оттуда не самым бедным человеком. Пока он устраивал «Великого вождя», ему позволяли воровать, а перестал устраивать, тут же выяснили, что он —

коррупционер, прохвост, взяточник и вообще заговорщик. Все как обычно. В этом подлунном мире нет ничего нового. В этом Пурлиев прав.

— Я давно подозревал, что в конце концов ты станешь философом, — улыбнулся Вейдеманис. — Значит, хочешь ему отказать?

— Нет, — неожиданно ответил Дронго, — как раз наоборот, хочу познакомиться с ним и с его семьей поближе. И завтра утром отправлюсь к нему в Жуковку.

— Ты поверил в его рассказ? Даже я почувствовал, что он все время нервничает. Этот его характерный жест, когда он постоянно дотрагивался до подбородка, явно выдает его волнение и ложь. Он лгал, пока разговаривал с тобой, дергался, отводил глаза, нервничал, отвечая на твои вопросы. Это было очень заметно со стороны, и ты наверняка обратил внимание на его поведение.

— Именно поэтому мне стало интересно. Почему он вообще к нам пришел? Ведь он российский гражданин, и его семья тоже получила российское гражданство. Выдать их Туркмении невозможно, даже по российской Конституции. А нынешние власти в Ашхабаде никогда в жизни не пойдут на такой рискованный шаг, попытавшись выкрасть кого-то из российских граждан, даже если он поддерживает и спонсирует оппозицию. Из-за одного сбежавшего вороватого чиновника портить отношения с Москвой — просто глупо. И нецелесообразно. Но он пришел к нам и утверждает, что за ним следят. Почему? Во-первых, почему следят, если действительно следят? С какой целью? Убить или выкрасть российского гражданина, даже если он купил себе гражданство, очень опасно и грозит непредсказуемыми последствиями для туркменских властей. Ссориться с Москвой из-за Пурлиева — слишком непозволительная роскошь. Во-вторых, почему он пришел именно к нам? Он мог нанять частных детективов и частных телохранителей для своей охраны. Судя по его месту жительства и часам на руке, он человек достаточно обеспеченный. Почему он так настойчиво искал встречи именно со мной? В чем здесь тайна? Мне хотелось бы ее понять. И, наконец, в-третьих. Как ты правильно заметил, он, придя к нам, все время нервничал, дергался, лгал и очень неохотно отвечал на вопросы, касающиеся его состояния и положения. И даже семьи. А в конце разговора сообщил, что действительно поддерживает оппозицию, и это делает понятным возможное наблюдение за ним представителей туркменских спецслужб. Тогда я спрашиваю себя — что вообще происходит? Почему он пришел к нам? Только для того, чтобы нас обмануть? В чем состоит истинная причина его появления и такого настойчивого желания встретиться именно с нами? Я не знаю ответов на эти вопросы. А когда я не знаю ответов, я начинаю размышлять, пытаясь понять истинный замысел. В данном случае понять его до конца пока не могу.

— И поэтому хочешь разобраться, — кивнул Эдгар. — Честно говоря, я думал, что ты его просто выгонишь, когда он начал путаться, нервничать и признался, что поддерживает оппозицию.

— Он пришел не за этим, — пояснил Дронго, — там был второй, а может, и третий уровень, который он тщательно скрывает. Но обида на бывшего вождя, безусловно, присутствует. Посмотри в Интернете, что там можно найти на этого бывшего чиновника.

— Сейчас сделаю, — ответил Вейдеманис и вышел из кабинета.

Дронго посмотрел на телефон. Нужно позвонить Джил. Он обещал перезвонить ей сегодня утром. Но разница с Италией достаточно большая, и там еще раннее утро. Странно, что она вообще терпит такую невероятную семейную жизнь, когда он сидит в Москве, а она с детьми живет под Римом. Нужно обязательно ей перезвонить. Интересно, почему Пурлиев не нанимает обычных телохранителей для своей семьи?

Обязательно надо задать ему этот вопрос, который явно напрашивается. И еще один важный момент, на который Дронго обратил внимание. Гость все время говорил о том, что эксперта хорошо знают в Москве сотрудники правоохранительных служб. Что это? Оговорка по Фрейду? Или ему действительно нужен именно Дронго? Тогда для чего? С какой целью?

Вернулся Вейдеманис, и по его довольному виду эксперт понял, что в Интернете были материалы на их гостя. Эдгар протянул распечатанные листы бумаги:

— Сбежал из Туркмении десять лет назад. Один из главных подозреваемых в хищении особо крупных сумм по газовому контракту с австрийцами. Его тогда обвинили в завышении инвестиционных сумм на полмиллиарда долларов. И сбежал он за полтора месяца до покушения на Ниязова. Таким образом, он не имеет никакого отношения к так называемой группе оппозиционеров, которые появились сразу после покушения. Его объявили в международный розыск через Интерпол. Можешь себе представить, какие суммы он уплатил, чтобы ему дали здесь российское гражданство, после того как он попал в список Интерпола? Его отец был секретарем райкома, дядя — директором хлебокомбината. В общем, этот молодой человек в детстве тоже не голодал, а во время заключения сделки сумел сделать себе неплохие дивиденды, о которых узнал и сам Туркменбаши. Можно сказать, что Пурлиев взял «не по чину», и это ему не простили. Обычная история зарвавшегося чиновника. Непонятно, зачем он причисляет себя к пострадавшим. Он скорее обычный расхититель, сделавший деньги на этом контракте. Речь шла о сумме в сто миллионов долларов. Кстати, его инвестиционная компания стоит почти пятьдесят миллионов долларов, как раз половина украденных им денег.

— Что и требовалось доказать, — кивнул Дронго.

— И ты собираешься заняться делом этого жулика? — удивился Эдгар. — Не слишком ли большая роскошь?

— Не слишком. Что-то подсказывает мне, что мы обязаны заняться этим делом. Он не просто жулик, очень опасный человек, и нам нужно понять, почему он пришел именно к нам.

Дронго и его друг даже не подозревали, насколько верными окажутся их предположения и какие трагические события произойдут во время расследования этого необычного дела.

Вечером Эдгар перезвонил Пурлиеву и сообщил, что эксперт готов помочь необычному клиенту в его противостоянии с туркменскими властями. Пурлиев сдержанно поблагодарил, не выказав особой радости, но уточнил, когда именно приедут эксперты.

Утром следующего дня они отправились в Жуковку — один из самых элитарных поселков под Москвой. На строго охраняемую территорию их пропустили после того, как уточнили их фамилии и получили разрешение хозяев проехать на территорию. У дома Пурлиевых их встретил мужчина лет пятидесяти, с гладко выбритым черепом и мрачным лицом.

— Вас уже ждут, — сообщил он гостям, проводя их в дом, где в гостиной ждал сам Ягмыр Пурлиев. Он был одет в светлые брюки, темно-синюю рубашку и вельветовый пиджак голубого цвета.

Пурлиев энергично пожал руки гостям, приглашая их к уже накрытому столу.

— Что вы пьете? Коньяк, водку, вино? — уточнил он.

— Минеральную воду без газа, — попросил Дронго.

— И мне тоже, — повторил Вейдеманис.

Хозяин улыбнулся, но не стал возражать. Мужчины расселись за столом.

— У вас хорошая охрана, — заметил Дронго.

— Это не моя, — возразил Пурлиев, — они охраняют наш поселок.

— А кто нас встречал?

— Наш садовник. Бахром. Он работает у нас уже несколько лет.

— В доме есть еще кто-нибудь?

— Наша кухарка Полина Яковлевна, — ответил Пурлиев, — она тоже работает уже шесть или семь лет. И еще сюда иногда приезжает домработница. Один раз в неделю. Такая милая женщина. Тетя Клава. Хотя она, по-моему, моложе меня, но мы все называем ее тетей Клавой. Еще мой водитель, но он сейчас в городе. Женя Филубин. Больше никого нет.

— А где ваши супруга и дочь?

— Они сейчас у друзей. На соседней даче. Скоро должны приехать. У соседей породистая овчарка родила щенков, и они поехали отобрать одного щенка для нас. Хотя я всегда не любил собак, но ради дочери вынужден был согласиться. Это совсем недалеко, здесь минут десять езды. На Рублевке. Вы, наверное, слышали об этой семье. Заместитель министра финансов Колосков. У него уже третья супруга, моложе его на пятнадцать или двадцать лет. Но с Делером они подружились. Так зовут мою жену, — пояснил Пурлиев.

— Она не туркменка? — понял Дронго.

— Она узбечка по отцу и еврейка по матери. Такая интересная смесь, — усмехнулся Ягмыр, — хотя мать тоже не была чистой еврейкой. По еврейским понятиям, она считалась украинкой. У нее отец еврей, а мать украинка. Мать живет в Крыму. На нашей даче, — добавил он, — смотрит за садом в наше отсутствие. Между прочим, супруга Колоскова тоже полуукраинка-полуеврейка. Красивая женщина, хотя и не в моем вкусе. Никогда не любил блондинок. Мне всегда больше нравились брюнетки. Что ж, если от алкоголя вы отказываетесь, я предложу вам чай или кофе. Что именно вы предпочитаете?

— Мне зеленый чай, а моему напарнику кофе, — попросил Дронго.

Пурлиев поднялся и прошел на кухню. Они услышали голос хозяина дома, просившего кухарку приготовить им кофе. Затем Ягмыр вернулся в гостиную.

— Сейчас все сделает, — сказал он, усаживаясь на свое место. — Кухарка у нас просто замечательная. Золотые руки. Научилась готовить даже узбекский плов, который я очень люблю.

— Нужно позвонить вашей супруге, чтобы она поскорее вернулась домой, — предложил Дронго, — нам необходимо поговорить и с ней.

— Я позвоню. — Пурлиев достал телефон, набрал номер и быстро вышел из комнаты, закрывая за собой дверь. Через минуту он вернулся и сообщил: — Она скоро приедет. Только я не совсем понимаю, зачем вам нужна моя супруга. Речь идет о людях, которые следят за моей семьей. Нужно прежде всего обратить внимание на них. Может, они и сейчас стоят на повороте.

— Вы записали номера их машин?

— Конечно. Но машины бывают каждый раз разные. И, возможно, мы ошибаемся, хотя у меня есть список на три автомобиля, которые в разное время казались нам подозрительными.

— Мы все проверим, — кивнул Дронго. — А почему вы не нанимаете телохранителей? Я хотел спросить об этом еще вчера.

— Я не доверяю этим ребятам, — мрачно пояснил Пурлиев, — обычные костоломы, которые не умеют ни думать, ни размышлять. Только напрасная трата денег. Нанимать нужно суперпрофессионалов, а их сейчас не найти. Такие ребята работают в охране у очень крутых олигархов. А накачанные спортсмены — просто гора мускулов без мозгов. Любой опытный спецназовец легко справится с четырьмя-пятью такими «качками». Нет, они мне явно не помогут.

— У вас есть оружие? — неожиданно спросил Дронго.

— Есть, я получил официальное разрешение.

— Купили? — уточнил эксперт.

— Вам не кажется, что вы иногда позволяете себе задавать не слишком корректные вопросы? — не выдержал Пурлиев.

— Вы хотите, чтобы я вам помогал, — холодно напомнил Дронго, — значит, в какой-то степени был вашим доверенным лицом, как семейный врач или адвокат, и поэтому не должны обижаться на мои вопросы.

— Я не обижаюсь, я удивляюсь.

— И тем не менее вы не ответили на мой вопрос.

— У меня есть официальное разрешение на хранение оружия, — повторил, чуть повысив голос, Пурлиев, — по-моему, этого вполне достаточно.

Полина Яковлевна внесла поднос с чашками. Дронго получил зеленый чай, хозяин дома свежезаваренный черный с чабрецом, запах которого распространился по всей комнате, а Эдгару подали кофе.

— Спасибо, — поблагодарил Дронго и продолжил беседу: — Но на повороте никаких машин не было. Я специально обратил на это внимание.

— Значит, будут, — мрачно ответил Пурлиев, — может, они прячутся в роще и выезжают, когда появляются мои машины.

— Сколько у вас автомобилей? — спросил Вейдеманис.

— Четыре. На «Мерседесе» работает Женя, который возит нашу дочь в школу и забирает ее оттуда. Ну, и работает со мной. Кроме этого, у нас еще три машины. «БМВ» у меня, а у моей супруги «шестерка» «Ауди». Есть еще внедорожник «Ниссан Патрол», но он большую часть года стоит в гараже.

— Не самый скромный автопарк, — заметил Эдгар.

— Все машины далеко не новые, — словно оправдываясь, произнес Пурлиев, — хотя и в хорошем состоянии. Я всегда проверяю все свои машины и вовремя меняю масло и тормозные жидкости.

— Об этом лучше говорить налоговому инспектору и сотрудникам Госавтоинспекции, — слегка улыбнулся Дронго. — Дайте список машин, которые за вами следили. Постараюсь проверить через мои каналы.

— Конечно. — Пурлиев вытащил список и протянул его гостям. — Я уверен, что, по крайней мере, одна или две машины из этого списка абсолютно точно следили за нами. Я думал, что мне только показалось, когда ездил на своем «БМВ». Но мой водитель, Женя, тоже обнаружил слежку. Он даже проверил, попытавшись оторваться от преследователей, но они упрямо прицепились к нему.

— Профессионалы так не работают. Они сразу сворачивают наблюдение, если понимают, что их обнаружили, — напомнил Дронго.

— Это европейские профессионалы, — рассмеялся Пурлиев, — а за мной охотятся настырные туркменские профессионалы. Вы, видимо, не понимаете разницу. В первом случае важно остаться незамеченным, там уважают права человека и боятся судебных исков. Во втором случае важно подтвердить наблюдение. Демонстративно и показательно. Чтобы запугать, унизить, оскорбить, заставить опасаться и в конце концов отказаться от своей деятельности.

В этот момент в гостиную вошла молодая женщина. Мужчины поднялись. Высокого роста, с большим раскосыми черными глазами, скуластая, с копной черных волос. Впечатление не портил даже нос с небольшой горбинкой, который придавал ей особый шарм. Тонкие губы, внимательный строгий взгляд. Она была в очках, но, увидев гостей, быстро сняла их. Сочетание стольких кровей удачно перемешалось в этой женщине. Она не была модельной красавицей, но у нее было запоминающееся оригинальное лицо, которое невозможно забыть или игнорировать. Пурлиев несколько растерянно поднялся и посмотрел на часы. Он, видимо, не ожидал появления супруги так рано.

— Моя супруга Делером, — представил ее гостям Пурлиев.

— Здравствуйте, господа, — произнесла она достаточно низким голосом и села напротив своего мужа.

— Это эксперты, о которых я тебе говорил, — пояснил супруг.

— Очень приятно. Но мы ждали вас несколько позже, — заметила Делером.

— Эти господа приехали по моей просьбе, — быстро произнес Пурлиев.

— Я поняла, — кивнула Делером, — считаешь, что можно защититься таким образом.

— А ты, как всегда, недовольна, — мрачно заметил он.

— Я говорила тебе, что нужно искать причины всегда внутри себя, — спокойно парировала супруга.

— Мы обсудим попозже все твои предложения, — сдержанно предложил Пурлиев, — сейчас к нам приехали эксперты, которые могут нам помочь.

— Пусть помогают, — равнодушно согласилась Делером, — хотя я уверена, что нам ничего не угрожает. А насчет щенка — спасибо, это было так неожиданно с твоей стороны. Дочка очень рада.

— Мы потом поговорим, — чуть повысил голос Пурлиев. Было заметно, как он нервничает.

— Тогда зачем ты меня позвал, — спросила она, — если даже не разрешаешь мне говорить и сам не хочешь меня слушать.

Пурлиев покачал головой. Очевидно, он понимал, что Делером будет вести себя именно таким образом, поэтому прекратил обращаться к ней и повернулся к Дронго:

— У вас есть какие-нибудь вопросы к моей супруге?

— Она тоже видела автомобили, которые вас преследуют?

— Конечно, видела, — ответил за Делером супруг. Она сидела молча, не пытаясь ничего сказать.

— Мы проверим все номера машин, которые вы нам дали, — заверил хозяина эксперт.

— Ты прекрасно знаешь, кто именно организовал эту слежку, — вдруг заговорила Делером.

— Это только твое предположение. — Пурлиев начал краснеть. Было видно, что он не просто нервничает, а злится.

— Не только, — упрямо возразила супруга, — тебе все еще кажется, что ты и наша семья могут быть интересны Ашхабаду. А они давно тебя списали. Их уже не волнует, как ты здесь живешь, в отличие от Долгушкина, который являлся твоим компаньоном.

— Мы можем поговорить об этом после ухода гостей, — зло отрезал Пурлиев.

— Ты пригласил их только потому, что боишься преследования со стороны правоохранительных органов Туркмении, — напомнила Делером, — но я тебе все время говорю, что это работа Долгушкина, а ты не хочешь в это поверить.

— Извините, — вмешался Дронго, — я могу узнать, кто такой этот Долгушкин?

— Мой бывший компаньон по инвестиционной компании, — пояснил Пурлиев. — Мы начинали вместе, но потом он стал странно себя вести, требовать больше прибыли на том основании, что он резидент, а я иностранец. Даже после того, как я получил российское гражданство, он не сбавил темпа своих претензий, и нам пришлось расстаться. Он создал другую компанию, своего рода конкурент, которая иногда пыталась вставлять нам палки в колеса. Этот тип до сих пор считает, что может конкурировать с нами. Но это просто смешно...

— Вы выставили его из своего бизнеса? — уточнил Дронго.

— Опять не очень корректный вопрос, — усмехнулся Пурлиев, — но я вам отвечу. Есть люди, которые считают себя бизнесменами. Но деньги от них убегают. Вот таким был Митя Долгушкин. На каком-то этапе нашей жизни мы с ним сошлись и неплохо поработали, но потом я понял, что он не тот человек, с которым можно развивать большой бизнес. Он был мелковат, и как человек, и как бизнесмен. И поэтому мы расстались. Я не выставлял его из бизнеса, он сам себя выставил. А теперь иногда пытается конкурировать с нами, но у него ничего не получается.

— Он мог нанять частных детективов для слежки за вами?

Пурлиев посмотрел на супругу, понимая, что при ней будет сложно солгать, и нехотя выдавил:

— Мог, но я не думаю, что Долгушкин пошел на такие расходы. Три разные машины, много людей. У него нет таких денег, чтобы позволить себе подобные расходы.

— В последнее время он раскрутился... — заметила Делером.

— Помолчи, — гневно прервал ее муж, — эксперты сами разберутся, не нужно им подсказывать. Для этого я их и пригласил.

— Ты считаешь, что все наши проблемы можно решить таким образом? — не скрывая злого сарказма, спросила Делером.

— Мы пытаемся решить наши проблемы, — явно сдерживаясь, пояснил Пурлиев, — и не нужно больше ничего говорить.

Она прикусила нижнюю губу, но промолчала.

— Вы тоже замечали чужие автомобили, которые следят за вами? — спросил Дронго, обращаясь к хозяйке дома.

— Разумеется, замечала. Иногда следили достаточно откровенно и нагло. Даже не скрываясь. Это раздражает. Очень сильно.

— А ваша дочь? Они следили за ее школой? Она не говорила вам об этом?

— Кажется, нет, не думаю. Иначе бы знала. Нет, по-моему, нет.

— Может, она просто не замечала, — вставил Пурлиев.

— Не думаю, — упрямо повторила Делером, — она бы обязательно заметила. Бибигуль очень наблюдательная девочка. Но у школы никого не было. Иначе чужие машины обязательно бы заметили, и не только наша дочь, но и охранники в лицее, где она учится. Ее школу переименовали в лицей еще три года назад, и там повсюду установлены камеры. Чужая машина не смогла бы там появиться.

— Мы проверим все автомобили, которые вас преследовали, — пообещал Дронго и спросил: — У вас есть личные враги?

— Нет, — быстро ответил Пурлиев, явно пытаясь опередить свою супругу.

Но та все-таки ответила:

— Нам вполне хватает друг друга, иногда чужие даже не нужны.

Пурлиев сжал зубы. Этот ответ ему вообще не понравился. Но он не решился продолжать спорить с женой в присутствии посторонних.

— А где ваша дочь? — уточнил Дронго.

— Она осталась на даче у Колосковых, — ответила Делером, — я вернулась в автомобиле их водителя. Позвонила Бахрому, чтобы дать указания, а он сообщил о приезде гостей.

— Это я попросил Бахрома сообщить тебе о приезде гостей, — быстро сказал Пурлиев, — я не мог до тебя дозвониться.

— Странно, — удивилась она, — у меня телефон лежал рядом со мной, на столике, и я ни с кем не разговаривала.

— Так часто бывает на дачах за городом, — попытался улыбнуться Пурлиев.

И в этот момент раздался женский крик. Все четверо прислушались. Кричала Полина Яковлевна откуда-то из кухни. Мужчины бросились туда, а Делером побледнела, вцепившись руками в стол. Было заметно, как она испугалась.

Глава 3

Из кухни был выход на веранду. Дверь была открыта, и на веранде уже хрипел умирающий Бахром. Дронго кинулся к нему, пытаясь помочь несчастному, но было поздно. У Бахрома начались конвульсии, а изо рта пошла пена. Дернувшись несколько раз, он затих. Полина Яковлевна беззвучно заплакала.

— Бедный Бахром, — всхлипывала она, — не могу понять, что с ним случилось.

Дронго осмотрелся. На краю веранды лежала бутылка воды, очевидно, выпавшая из рук умершего. Он подошел к бутылке и, не трогая ее, наклонился вниз. Бутылка была с характерной этикеткой «Ессентуки номер семнадцать», из нее доносился резкий запах синильной кислоты. Дронго повернулся к Пурлиеву:

— Чья эта бутылка?

— Понятия не имею, — пожал тот плечами.

— Это бутылка Бахрома, — сказала, тяжело вздохнув, Полина Яковлевна, — у него были проблемы с кишечником, и он пил минеральную воду. С утра оставлял ее открытой, чтобы газ вышел. Говорил, что не должен пить сильно газированную воду. Он зашел на кухню, спросил про мясо, которое должен был привезти вечером, и вышел на веранду. Бутылка была у него в руке. Сделал несколько глотков, потом вдруг закачался и начал медленно оседать на пол, но бутылку не выпустил из рук. Только когда свалился, она выпала из его руки и покатилась в сторону. А потом я закричала.

Дронго еще раз посмотрел на бутылку и спросил:

— Где он хранил свои вещи?

— У него есть домик на краю участка, — ответил вместо кухарки Пурлиев, показывая в сторону гаражей, — я разрешил ему здесь оставаться. Он следил за участком, чистил, убирал и жил у нас. И вообще был близким человеком нашей семьи, — немного подумав, добавил хозяин дома.

На кухне появилась Делером. Она вышла на веранду, секунд пять смотрела на умершего, не произнося ни слова, затем перевела взгляд на мужа и сказала:

— Сделай так, чтобы об этом не узнала наша девочка, если уж не можешь оградить нас от подобных ужасов. Ей необязательно все это видеть и знать, что именно у нас творится. — Резко повернувшись, Делером пошла обратно в дом.

Дронго снова наклонился к телу погибшего.

— Это был яд, его отравили. В бутылке еще остались капли жидкости. Нужно срочно вызвать полицию. Вместе со следователем. Пусть отправят на экспертизу бутылку и тело погибшего.

— Я же говорил, что они не оставят нас в покое, — хрипло произнес Пурлиев, глядя на умершего.

— И поэтому они отравили вашего садовника? — поморщился Дронго. — Хватит, Пурлиев. Вы прекрасно знаете, что здесь нечто иное. Кому и зачем нужно было убивать вашего садовника? Он даже не туркмен, а таджик, который жил здесь только благодаря вашему разрешению, иначе бы просто оказался на улице. Зачем убивать такого несчастного человека?

— Он был очень хорошим человеком, — громко подтвердила Полина Яковлевна, — и мастер на все руки. Наверное, это грузинская минеральная вода. В газетах писали, что она плохого качества. Вот он и отравился.

— В газетах писали про грузинское вино и «Боржоми», — напомнил Дронго, — и это был скорее метод воздействия на непокорную Грузию, чем реальное положение вещей. Могу вас заверить, уважаемая Полина Яковлевна, что у грузин прекрасное вино с многовековыми традициями.

— Вы, наверное, грузин? — спросила догадливая кухарка.

— Нет, просто я люблю грузинское вино. И еще истину, которую иногда препарируют слишком грубым образом. А самое печальное, что «Ессентуки» — это российская вода с Северного Кавказа, которая никакого отношения к Грузии не имеет.

Полина Яковлевна нахмурилась, но не решилась больше спорить. Дронго снова обратился к хозяину дома:

— Срочно звоните в полицию. Пусть выезжают. Это не просто бытовое отравление, в бутылке был сильнодействующий яд. Его намеренно отравили.

Пурлиев кивнул, доставая свой телефон.

— Слишком много совпадений, — тихо произнес Вейдеманис, приблизившись к эксперту.

— Я тоже об этом подумал, — согласился Дронго. — Но при чем тут садовник? Кому мешал этот несчастный таджик?

— И странная реакция хозяев, — добавил Эдгар.

— Более чем странная, — кивнул Дронго. — Они оба знают, зачем мы сюда приехали, понимают, что могут являться объектом наблюдения агентов их бывшей страны, и прекрасно осознают, насколько это опасно. Возможно, их садовника так показательно убрали для устрашения хозяев. Что бы ты делал в такой момент прежде всего?

— Бросился бы звонить своей дочери, чтобы узнать, где она находится и как себя чувствует, — признался Вейдеманис.

— А они оба не позвонили, — подвел неутешительный итог Дронго, — чем вызвали у нас особенные подозрения. Кажется, и мать, и отец просто забыли о своей дочери, что в принципе невозможно. Значит, дело в чем-то ином. А в чем именно? И кому понадобилось убирать пожилого таджика? Что он мог знать или сделать?

Тут к ним подошел хозяин дома и усталым голосом сообщил:

— Я уже вызвал полицию, они сейчас приедут. Заодно приедут следователь и бригада экспертов. Пусть проверяют, может, мы действительно выйдем на возможных преступников.

— У него был больной желудок? — спросил Дронго.

— Не знаю, — ответил Пурлиев, — желудки работников меня мало волнуют. Но у него были проблемы. Кажется, он был язвенник и поэтому пил все время слабоминеральную воду. Открывал две бутылки с утра, чтобы газ выдохся, а потом пил. Об этом знали все живущие в доме.

— Кроме вас с супругой и дочерью, в доме живет кто-нибудь еще? — спросил Дронго. И, не дожидаясь ответа, добавил: — Насколько я понял, кроме вас троих, здесь еще бывают ваш водитель и кухарка. Тогда подскажите, кого именно я должен подозревать? У вас есть такой человек на примете?

— Между участками нет охраны, — напомнил Пурлиев, — и часто вообще нет никаких заграждений. Поэтому здесь могло произойти все, что угодно. Я позвал вас, чтобы вы нам помогли, но, видимо, позвал слишком поздно. Бедный Бахром, мир его праху. Наверное, целились в меня, а попали в нашего садовника.

— Не думаю, — жестко возразил Дронго, — убийца не мог быть таким идиотом. Поверить в возможность того, что ваша бутылка стоит в подсобке у садовника и вы пьете с ним на пару минеральную воду, невозможно даже в самых страшных снах. Это слишком невероятно, чтобы быть похожим на правду.

— Тогда почему его убили? — настойчиво спросил Пурлиев.

— Можно, я задам вам такой же вопрос? — ответил Дронго. — Мне тоже интересно, кто и, самое главное, зачем убил этого таджика? Что он сделал или мог сделать? Что он знал или мог узнать?

Пурлиев пожал плечами и отвернулся.

Полина Яковлевна принесла большую простыню и попросила разрешения у Дронго накрыть тело.

— Нельзя, — ответил эксперт, — там остатки воды с ядом. Они могут впитаться в простыню, и тогда мы вообще не узнаем, кто и почему это сделал. Нельзя ничего трогать. И накрывать его тоже нельзя. Сейчас приедет полиция, потерпите немного.

Через несколько минут к дому начали подъезжать автомобили. Сначала приехала машина полиции. Затем следователь, за ним помощник прокурора, наконец, сам прокурор. Эксперты бережно упаковали бутылку с остатками воды. Брали анализы с одежды погибшего, из лужиц, оставшихся на полу.

Следователь, которого звали Роберт Мельников, приказал переписать всех находившихся в доме на момент убийства. Кроме супругов Пурлиевых, это были кухарка и два их гостя. После короткого осмотра он побеседовал с хозяевами дома, затем пригласил Дронго и сел за стол. У него были сросшиеся черные брови, глубоко посаженные глаза, вытянутый нос, и он был на две головы ниже эксперта.

— Что вы делали на даче господина Пурлиева? — уточнил следователь.

— Мы эксперты по вопросам преступности, — пояснил Дронго, — и приехали сюда для консультаций с хозяином дома.

— Так удачно приехали, — покачал головой Мельников, — как раз к моменту убийства. Вам не кажется подозрительным подобное совпадение?

— Кажется, — согласился Дронго, — только вы не совсем поняли. Я не доморощенный частный детектив, а эксперт Организации Объединенных Наций и бывший специалист Интерпола, поэтому не стал бы участвовать в отравлении садовника. Калибр мелковат, господин Мельников. Неужели вы не поняли?

— Я сам решаю, что именно мне следует понимать, — дернулся следователь. — Где вы были в момент убийства?

— Сидел на вашем месте в этой комнате и разговаривал с хозяевами дома, напротив сидел мой напарник, — спокойно ответил Дронго. — В этот момент мы и услышали крик кухарки, которая увидела, как упал на веранду несчастный садовник. После этого мы вышли на веранду. Я хотел ему помочь, но было уже поздно. Он бился в конвульсиях и умер буквально через несколько секунд. Очевидно, яд был достаточно сильным. Это не обычное бытовое отравление, это намеренное убийство.

— Вы специалист и по ядам тоже? — насмешливо спросил Мельников.

— Молодой человек, когда я начинал свои расследования, вас еще не было на свете. И я разбираюсь не только в ядах, но и в человеческой психологии. Неплохо разбираюсь. Поэтому могу вам посоветовать несколько умерить свои комплексы.

— Какие комплексы? — недовольно проговорил следователь. — Не понимаю, о чем вы говорите.

— Во-первых, не нужно так комплексовать из-за своего роста. Уже доказано, что большинство гениев было невысокого роста. Во-вторых, вы допустили ошибку, осмотрев только место происшествия и домик, в котором жил погибший. Нужно осмотреть весь дом и попытаться найти следы отравляющего вещества. Обязательно провести экспертизу и взять образцы крови у всех возможных свидетелей. Допросить водителей и садовников с соседних участков. Хотя полагаю, что искать нужно прежде всего здесь. В-третьих, немного расскажу вам о своих наблюдениях, чтобы вы мне поверили. Утром вы торопились и плохо побрились. Около правого уха осталась полоска щетины, волосы растут неравномерно, значит, вчера вы не брились. Очевидно, дежурили, поэтому у вас красные невыспавшиеся глаза. Теперь насчет вашего поведения. Вы, вероятно, только недавно получили доступ к самостоятельной работе, отсюда напряжение и неуверенность в ваших действиях. Такие действия психологи называют «перемешательной активностью». Обратите внимание на ваши руки, суетливые и бесполезные движения, при которых вы все время мнете себе пальцы, выдают вашу неуверенность.

Мельников положил обе руки на стол.

— И не нужно крутить кольцо на пальце, которое вы получили совсем недавно, — добавил Дронго, — я думаю, что вы женаты не больше года. И вашей супруге не очень нравится ваша нынешняя работа. Я обратил внимание, что сегодня во время вашего визита было уже три телефонных звонка, и каждый раз вы односложно отвечали, что скоро закончите. Это подстегивает вас и нервирует, поэтому вы допускаете некоторые ошибки.

Наступило неприятное молчание.

— Закончили? — спросил, неприятно усмехнувшись, Мельников. — Такие фокусы в стиле Шерлока Холмса или Эркюля Пуаро. Подслушали мой разговор с женой и выдаете себя за аналитика. Меня не обманете. Насчет более тщательного осмотра я согласен. Сотрудники полиции отнеслись к нему достаточно халатно. Но это мы легко поправим. А насчет образцов крови и ваших отпечатков, можете не беспокоиться, это мы сделаем обязательно и без ваших напоминаний.

— Прекрасно. Значит, мои советы вам не нужны, — кивнул Дронго, — в таком случае вы можете их игнорировать.

— Вы интересный человек, — неожиданно произнес Мельников, — но я все равно буду проводить расследование своими способами и методами. Вы правы: у меня нет такого большого опыта в расследованиях. Но это уже девятое мое расследование. И восемь предыдущих были достаточно успешными.

— Поздравляю, — сказал Дронго, — именно поэтому вас и выдвинули на самостоятельную работу.

— Опять трюки? Узнали у кого-то из офицеров полиции, что меня недавно перевели?

— Я не разговаривал с вашими офицерами, — возразил эксперт, — неужели вы действительно ничего не поняли?

— Давайте по существу, — перебил его Мельников. — Вы ничего не видели, ничего не знаете и никого не подозреваете? Несмотря на свой большой опыт и ваше мастерство?

— Пока у меня нет подтвержденных данных, — ответил Дронго, — но я тоже пытаюсь понять, что именно здесь произошло.

— Есть конкретные подозреваемые?

— Я предпочитаю говорить только тогда, когда уверен в этом.

— Достаточно, — поморщился Мельников, — я понимаю, что вы хотели произвести на меня впечатление, и это вам удалось. Вы действительно наблюдательный и опытный человек, в меру своих возможностей и способностей. Но сегодня здесь ничего необычного не случилось. Просто приехавший к нам гость из Средней Азии выпил какое-то пойло и отравился. Экспертиза легко докажет, что там не было никакого яда. Обычное отравление некачественным спиртом. Бомжи и гости столицы умирают от этого гораздо чаще, чем ото всех других причин. Поверьте мне, я знаю, что говорю. Возможно, он налил в бутылку какой-нибудь некачественный алкоголь и отравился этим суррогатом. И в этом весь секрет. Если бы он умер где-нибудь на вокзале или на улице, никто бы этого даже не заметил. Но он умер в элитном поселке, в доме у бывшего высокопоставленного чиновника из туркменской оппозиции. Только поэтому меня прислали сюда сразу после дежурства, о чем вы правильно догадались. Но уже завтра я закрою дело этого садовника, чтобы никогда о нем больше не вспоминать.

— Не закроете, — убежденно произнес Дронго, — это не обычное отравление. Вам просто необходимо более внимательно и тщательно все проанализировать.

— Мы справимся и без вашего участия, — пообещал Мельников и неожиданно признался: — Но мне было интересно с вами беседовать.

— До свидания, — поднявшись, попрощался Дронго и вышел в другую комнату, где его ждал Пурлиев.

Теперь на допрос вызвали Вейдеманиса.

— Ну как, вы мне наконец поверили? — спросил Пурлиев, обращаясь к Дронго. — Я же говорил вам, что они за мной следят. И в любой момент готовы на любую подлость. Видимо, Бахром что-то узнал, поэтому они его и убили.

— Что мог узнать ваш садовник, который все время находился за городом и почти не выезжал отсюда? Вам не кажется странным, что его смерть произошла в тот момент, когда мы были у вас в гостях? Словно ее нарочно подстроили к нашему приезду.

— Я просил вас о помощи, — напомнил Пурлиев, — а вы, наверное, думали, что я преувеличиваю, не верили, что за мной следят, все время пытались иронизировать. Я же видел, как вы относитесь к моему рассказу. А я уверен, что моей семье угрожает реальная опасность. Они не остановятся ни перед чем.

— Зачем? Зачем туркменским властям убивать вашего садовника или нападать на кого-то из членов вашей семьи? — спросил Дронго. — Ведь это абсолютный идиотизм. И слишком неправдоподобно.

— Убийство Бахрома тоже неправдоподобно?

— Более чем. Я все время пытаюсь понять, что именно здесь происходит. Вы все еще хотите, чтобы я занимался вашим делом?

— Не знаю, — ответил Пурлиев, — я сейчас ничего не знаю. — В этот момент раздался телефонный звонок. — Я тебе перезвоню, — сказал он в трубку и, отключив телефон, убрал его в карман.

— Вы уже разговаривали со своей дочерью? — поинтересовался Дронго.

— Пока нет. Она у Колосковых. Там все в порядке. Я не хотел ее волновать. Пусть отсюда уедут полицейские и следователи, заберут труп, и тогда я ей позвоню.

— Вы очень заботливый отец, — заметил эксперт.

— Опять иронизируете? — покачал головой Пурлиев.

— Нет. Восхищаюсь вашей выдержкой.

— Я больше не буду с вами разговаривать, — возмущенно проговорил хозяин дома. — Я уже понял, что это была большая ошибка с моей стороны — попытаться просить вас о помощи. Вы с самого начала не хотели мне помогать. Уже по вашим вопросам я понимал, что вы считаете меня обыкновенным коррупционером и почти проходимцем. А ведь я — серьезный политик.

— Который сумел купить дом в Жуковке, носит часы за сорок тысяч долларов, имеет целый гараж дорогих элитных машин, свою компанию, рыночная стоимость которой зашкаливает за пятьдесят миллионов долларов, — в тон собеседнику произнес Дронго.

Наступило молчание. Пурлиев размышлял, как именно стоит ответить, и наконец спросил:

— Эти глупости вы взяли из Интернета?

— Ваш дом, машины, часы и компания — тоже глупости?

— У вас примитивное мышление, господин эксперт, — презрительно усмехнулся Пурлиев. — Свои деньги я зарабатываю своим трудом. И своим бизнесом. Вы просто не можете в это поверить.

— Не сомневаюсь. Все государственные воры обычно так и говорят. Это не потому, что я очень симпатизировал режиму Туркменбаши, просто я не люблю таких людей, как вы, Пурлиев. Это именно вы и вам подобные растащили бывшую страну по кускам, чтобы вам было легче ее грабить, обворовывать, наживаться. Вам плевать на обычных людей. Все ваши разговоры о суверенитете, патриотизме, независимости скрывают только шкурные интересы. Еще тогда вы все поняли, как легко можно ограбить собственный народ, если развалить большое государство и самим стать элитой в каждой стране. Элитой, которая уже не боится тяжелой руки Москвы. Когда можно делать все, пока ты хвалишь и льстишь очередному маленькому диктатору, пока готов выслуживаться и пресмыкаться. И при этом вы и вам подобные считают себя настоящими бизнесменами.

В комнату вернулся Вейдеманис и, улыбнувшись, сказал:

— Кажется, вы ругаетесь, твой громкий голос разносится по всему дому.

— Нет. Мы признаемся друг другу в любви, — ответил Дронго. — До свидания, Пурлиев. И подумайте над моими словами. Я почти убежден, что вы еще захотите меня увидеть.

— Не уверен, — помотал головой Пурлиев, — вы мне больше не нужны.

— Зато вы мне, кажется, становитесь интересны, — бросил Дронго, выходя с Эдгаром из комнаты.

— Что ты думаешь об этом убийстве? — поинтересовался Вейдеманис.

— Лучше не спрашивай, — признался эксперт, — иначе я буду чувствовать себя болваном. А мне этого очень не хочется. Обидно, когда тебя считают болваном.

— Я догадываюсь, о чем ты думаешь, — мрачно сказал Эдгар, — но будет лучше, если мы поговорим обо всем дома.

Они сели в машину. Никто не мог даже предположить, что сегодня до вечера произойдет еще одно трагическое происшествие, которое перевернет все их возможные предположения и сделает ситуацию абсолютно непредсказуемой.

Глава 4

Уже приехав домой, Дронго и Вейдеманис прошли на кухню, устраиваясь за кухонным столом.

— Отвратительный тип, — убежденно произнес Эдгар, — мне было противно даже находиться в его доме.

— Это целая каста людей, которые выросли на обломках Союза, — сказал Дронго. — В каждой стране появились такие пронырливые Пурлиевы, которые, пользуясь моментом и ситуацией, смогли составить себе состояния, усаживаясь на нефтяные или газовые трубы, возглавляя таможни или налоговые ведомства, участвуя в залоговых аукционах, получая по дешевке заводы, фабрики, нефтяные вышки, шахты, леса и поля. Это был их бизнес и их возможность нажиться, которую они использовали в полной мере.

— Миссия общественного обличителя тебе не подходит, — заметил Вейдеманис.

— Не подходит, — согласился Дронго, — только когда я вижу эти рожи откормленных воров и казнокрадов, то вспоминаю своего отца, своего дедушку и свою бабушку. Два старших брата моего отца погибли на фронтах Великой Отечественной. За страну, которую развалили и ограбили все эти Пурлиевы. Отец рассказывал мне, что похоронку на среднего принесли самой бабушке, а вот похоронку на старшего дед спрятал. Он плакал по ночам, но не показывал ее жене, чтобы не огорчать. А она продолжала писать письма своему старшему сыну, которого уже не было в живых. Дед отбирал эти письма, якобы для того, чтобы отправить их сыну. Перечитывал их и снова плакал. Много лет спустя он рассказал об этом моему отцу, которому было только восемнадцать лет и он тоже участвовал в этой проклятой войне. И только после Победы дедушка признался бабушке, что она потеряла и второго сына. Отец говорил, что несколько лет она была словно не в себе, все время разговаривая со своими погибшими детьми. И вот теперь получается, что они погибли за этих вурдалаков. За эти свиные рожи, которые растащили страну на куски, чтобы воровать и грабить собственные народы. Не могу успокоиться. Понимаю, что глупо. Понимаю, что прошло много лет, но развал страны все равно не могу простить. Ладно, давай не будем больше об этом. Иначе я заведусь и меня невозможно будет остановить. Лучше вернемся к сегодняшнему убийству.

— Ты уверен, что это было убийство?

— Абсолютно. Следователь Мельников так ничего и не понял. Он все еще полагает, что Бахром мог отравиться, выпив некачественный алкоголь. У погибшего на шее висел Коран. Вряд ли мусульманин будет по утрам пить некачественную водку. Уже это выглядит неправдоподобно. Теперь по порядку. Пурлиев звонил нам два месяца, упрямо настаивая на встрече. Два месяца — слишком долгий срок, за это время он мог найти несколько крупных частных детективных агентств. Но он упрямо настаивал на нашей встрече, а потом несколько раз подчеркнул, что меня хорошо знают в правоохранительных службах Москвы. Оговорка по Фрейду. Ему нужен был именно такой человек, который сможет его прикрыть в случае необходимости. Гарантировать его алиби. Поэтому он не просто хотел с нами встретиться, а настаивал на нашей встрече именно в Жуковке.

— Согласен, — кивнул Вейдеманис, — меня тоже насторожила его настойчивость.

— Утром мы приезжаем туда, заранее договорившись о встрече, — продолжал Дронго, — и именно тогда выясняется, что в доме нет ни жены, ни дочери, которых он отправил к соседям. Хотя мы договаривались заранее и он знал, что мы собираемся беседовать с его супругой, но он нарочно отослал их к соседям. Он сказал нам, что у Колосковых ощенилась собака, поэтому члены его семьи отправились туда. А его жена в разговоре с нами сказала, что не ожидала от мужа такого подарка. Значит, он сознательно отправил жену и дочку, чтобы их не было в доме. И насчет Бахрома он нам соврал, сказал, что садовник работает у них несколько лет.

— Да, я помню его слова.

— А его кухарка Полина Яковлевна обмолвилась, что погибший работал только семь месяцев, — напомнил Дронго. — Несколько лет и семь месяцев — разница более чем большая. Он сознательно нас обманывал, чтобы не вызывать подозрения. Я уверен, что именно он подмешал яд в бутылку своего садовника. Ведь только близкие люди, проживающие в доме, могли знать о его болезни, о том, что он пьет газированную минеральную воду, оставляя ее с утра открытой, чтобы она немного выдохлась. Этим и воспользовался Пурлиев. Он все рассчитал по минутам. Смотрел на часы, ожидая, когда наконец появится садовник. У него было бы абсолютное алиби, так как мы сидели вместе с ним и могли это подтвердить. Ну и, наконец, самое невероятное, что даже после смерти садовника он не поинтересовался, где именно находится его дочь. Если бы он действительно боялся мести со стороны неизвестных лиц, то его первой и спонтанной реакцией должен был быть звонок дочери. Но он ей не звонил. Наоборот. Ему кто-то все время звонил, а он не хотел разговаривать в нашем присутствии и отключил телефон.

— Все это только косвенные доказательства, — заметил Вейдеманис. — Но зачем ему травить собственного садовника?

— Согласен, — кивнул Дронго, — и поэтому я ничего не сказал следователю. У меня нет конкретных доказательств вины Пурлиева. Главное — понять мотивы его чудовищного поступка. Зачем он это сделал? Чем ему мешал садовник? И почему он готовил это преступление так долго и тщательно, ведь он мог отравить его в любой день, и никто бы даже не поинтересовался, куда пропал Бахром. Но он ждал именно нас, чтобы иметь алиби. И я хочу понять — зачем ему понадобилось это убийство, что стоит за этим. Ведь он дал нам список машин, которые якобы за ними следили. А если действительно следили? Или он хочет поднять свой престиж в глазах оппозиции и показать всем, как его преследует нынешний туркменский режим? Но это слишком большое допущение. Тогда в чем дело? Почему он пошел на убийство? Я не знаю ответа на этот вопрос, поэтому и нервничаю. Конечно, я понимаю, что он хотел использовать нас в качестве болванов, сделав свидетелями своего алиби, чтобы избежать обвинений в убийстве. Но для чего? Просто так на убийство не идет даже такой законченный вор, как Пурлиев. Тогда в чем была его выгода? Его мотивы? Я не знаю ответов на эти вопросы. Но очень хочу знать. Кстати, он отказался с нами работать сразу после убийства садовника. Что, в общем, понятно.

— Судя по разговору с женой, у них достаточно натянутые отношения.

— Да. И он явно не ожидал, что она так быстро вернется. Конечно, он ей не звонил и еще раз обманывал нас, когда говорил, что разговаривал с супругой. А она сказала, что перезвонила Бахрому и он сообщил ей о гостях. Еще одна очевидная ложь Пурлиева. И его явное нежелание знакомить нас с членами своей семьи.

— Что думаешь делать?

— Проверить номера машин, которые он мне дал. И проследить за Пурлиевым. Он не совсем обычный вор. Убийство Бахрома было спланировано достаточно продуманно. Он убийца и очень опасен для окружающих. Ему кажется, что он сумел нас обмануть, но моя задача доказать ему, что это не так.

— Нужно будет еще раз поговорить с его женой, — заметил Вейдеманис, — мне тоже показалось, что у них достаточно натянутые отношения.

— Пробей номера через наших знакомых, — попросил Дронго, протягивая список с номерами машин.

— В Госавтоинспекции будут недовольны, — сказал Вейдеманис, — наши знакомые уже несколько раз предупреждали, что не будут нам помогать.

— Опять хотят, чтобы мы им платили? — понял Дронго.

— Не без этого.

— И им не стыдно, — притворно вздохнул Дронго. Он знал правила игры.

— Совсем не стыдно. Иначе ничего не дадут. Никаких сведений. Хотя любой инспектор может войти в систему и узнать, кому принадлежат эти автомобили.

— Тогда плати, — согласился Дронго, — ничего не поделаешь.

— И получается, что все твои рассуждения о моральных критериях всего лишь сотрясание воздуха, — усмехнулся Эдгар.

— С волками жить — по-волчьи выть, — возразил Дронго. — И потом, мне эти сведения нужны не для того, чтобы обогатиться или сделать нечто недостойное, я все еще надеюсь, что смогу сделать нечто полезное. Нельзя воевать с драконами, не используя других драконов. По-другому не получается. Кстати, еще нужно заплатить нашим знакомым из компании сотовой связи.

— Они тоже предупреждали о том, что поднимут плату за информацию, — напомнил Эдгар.

— Это уже безобразие, — притворно возмутился Дронго, — но придется платить и им тоже.

— Какая компания? «Мегафон» или МТС?

— Не знаю. Нужно узнать, где зарегистрирован его номер телефона. Хотя подожди, он оставлял нам свой мобильный. Легко можно определить, абонентом чьей компании он является. Проверь, кто сегодня утром ему все время звонил. Это тоже может быть интересно.

— Сейчас все узнаю, — пообещал Вейдеманис, доставая телефон.

Дронго поднялся и вышел из комнаты. Прошел в ванную комнату, чтобы умыться, и вернулся в кухню. Вейдеманис еще разговаривал по телефону. Закончив разговор, положил его на столик и взглянул на Дронго:

— Можешь не поверить, но первые два номера машин принадлежат посторонним людям. Один номер числится за пенсионером, полковником-летчиком, который дал машину по доверенности своему сыну. А другой номер зарегистрирован на женщину, директрису продуктового магазина. И они никак не подходят под стандарт наблюдателей. А вот с третьей машиной получилось интереснее. Она действительно из частного охранного агентства, которое называется «Прометей». Вот такие дела. Их машина вполне могла следить за Пурлиевыми или работать в качестве их охранников.

— Получается, что Пурлиев говорил правду? — недовольно спросил Дронго. — Тогда это еще больше усложняет нашу проверку.

— В Госавтоинспекции не могли перепутать. Номер машины зарегистрирован за агентством «Прометей». Нужно будет проверять уже на месте.

— Обязательно. Что с телефоном?

— Ему никто не звонил, — ответил Вейдеманис.

— Как это не звонил? Я сидел рядом и слышал, как ему все время звонили.

— Они готовы дать распечатку с его телефонов. Там звонки из Ташкента, Минска и несколько телефонных звонков из его компании.

— Сколько?

— Четыре или пять.

— Значит, это были не совсем рабочие звонки, — твердо сказал Дронго, — обычный секретарь не могла быть такой настойчивой. Конечно, если их не связывают другие отношения. Перезвони по указанному номеру и уточни, кто именно отвечает, — предложил он.

Вейдеманис согласно кивнул, снова доставая свой телефон. Набрал номер и, услышав приятный женский голос, произнес:

— Добрый день, простите, что я вас беспокою. Можно к телефону господина Пурлиева? Мы звоним из налоговой полиции.

— Его сейчас нет, — ответили ему.

— Мы договаривались о встрече, — солгал Вейдеманис. — Вы не могли бы сообщить, когда он будет в офисе?

— Он нам не говорил, но вечером, наверное, приедет, — пояснила секретарь. — Перезвоните еще раз часа через два или три.

— Обязательно, — согласился Эдгар. — Но я сидел у него дома, когда он сегодня разговаривал с кем-то из ваших сотрудниц и обещал ей приехать на работу.

— Он, видимо, разговаривал с Милой. Это наш эксперт. Она обычно звонит с моего телефона. Но ее сейчас нет в офисе.

— Это я уже понял. Извините, что побеспокоил вас.

— Ничего страшного. Звоните.

Вейдеманис положил телефон на столик и победно взглянул на Дронго:

— Звонила какая-то Мила, которая обычно приходит звонить в приемную, она работает у них экспертом.

— Нужно будет встретиться и с ней, — предложил Дронго.

— Я поеду сам, — встрепенулся Вейдеманис, — тебе туда нельзя. Слишком громко спорил с Пурлиевым. По-моему, ты ему не очень понравился.

— По-моему, ты тоже, — усмехнулся Дронго и, поднявшись, подошел к окну. Там уже начинался обычный осенний дождь, достаточно сильный для этого времени года.

— Что-нибудь еще? — спросил Эдгар.

— Нет, ничего, — ответил Дронго, не оборачиваясь. — Давай куда-нибудь поедем и пообедаем. Правда, моя кухарка на меня обидится, она говорит, что я почти не обедаю дома.

И нужно будет еще разобраться с этим «Прометеем». Зачем они следят за Пурлиевым? Для чего он им нужен?

— Я спрошу у них, — кивнул Вейдеманис. — Поехали обедать, уже пятый час.

Напарники спустились вниз и на машине отправились в один из тех московских ресторанов, которые были среди самых любимых заведений Дронго. Они уже заканчивали есть, когда раздался телефонный звонок. Дронго посмотрел на номер, он был ему незнаком, но эксперт решил все же ответить.

— Слушаю вас, — сказал он.

— Добрый вечер, — раздался уже знакомый голос, — я решил перезвонить вам. — Это был следователь Роберт Мельников.

— Не буду спрашивать, как вы узнали мой телефон, но готов вас выслушать, — произнес Дронго.

— Оказывается, вы действительно достаточно легендарная личность, — начал Мельников, — я услышал столько разных историй, связанных с вами. И в прокуратуре, и в нашем следственном комитете.

— Звонит следователь Мельников, — пояснил Дронго, прикрывая телефон рукой, — оказывается, меня знают прокуроры и следователи.

— Он из-за этого тебе позвонил? — не поверил Вейдеманис.

Эксперт покачал головой и, уже обращаясь к позвонившему следователю, сказал:

— Это меня радует. Значит, в следующий раз вы не будете числить меня среди подозреваемых. Что-то произошло? Почему вы решили мне перезвонить?

— Произошло, — сообщил Мельников, — два часа назад на Рублевской трассе, на повороте, перевернулась машина господина Пурлиева.

— Как перевернулась? — не понял Дронго.

— На скользкой дороге, — продолжал Мельников. — Машиной управлял сам господин Пурлиев, он не стал вызывать своего водителя.

— Что там случилось?

— Он в больнице. В реанимации. Не сумел удержать руль на повороте, и машина перевернулась.

— Пурлиев жив? — Дронго даже не заметил, что выкрикнул эти слова, настолько его взволновало сообщение. Остальные гости ресторана, сидевшие за соседними столиками, недоуменно смотрели на него. Вейдеманис нахмурился. Он понял, что произошло нечто непредсказуемое.

— Пока да, — ответил следователь. — Но он в коме, и врачи борются за его жизнь, хотя говорят, что надежды нет почти никакой. Алло, вы меня слышите? Я хотел, чтобы вы об этом знали.

— Спасибо. Большое спасибо. Он был один в машине?

— Да, один. Не беспокойтесь, рядом никого не было. Мы все проверили. Алло, вы меня слышите?

— Да, спасибо. В какой он больнице?

Мельников пробормотал адрес. Дронго поблагодарил его, положил телефон на столик и задумчиво пробормотал:

— Бог есть.

— Что там произошло? — не выдержал Вейдеманис.

— Бог есть, — повторил Дронго. — Два часа назад на скользкой дороге перевернулась машина Пурлиева. Он в тяжелом состоянии, находится в реанимации. И, возможно, не выживет.

— Да, — согласился Эдгар, — иногда даже хочется поверить, что Бог действительно существует.

Глава 5

Они вернулись домой уже в девятом часу вечера. Настроение было паршивым. Оба слишком хорошо понимали, что после аварии, происшедшей с Пурлиевым, оборвалась единственная ниточка для расследования смерти садовника.

— Что собираешься делать? — поинтересовался Эдгар. — Ляжешь спать и забудешь обо всем, что сегодня произошло?

— А ты как думаешь?

— Не забудешь, — уверенно произнес Вейдеманис. — Теперь не успокоишься, пока не разберешься, что именно там произошло. Я тебя хорошо знаю. Только работать придется бесплатно. Гонорар Пурлиев явно не заплатит, да и его супруга тоже не захочет платить.

— Ты становишься меркантильным, — притворно вздохнул Дронго.

— А ты по-стариковски упрямым, — парировал Эдгар.

— Имей совесть, какой я старик! В моем возрасте люди женятся и обзаводятся новыми семьями.

— Повторишь это при Джил, — посоветовал Вейдеманис, — интересно, что она скажет.

— Не будем ставить такие опасные эксперименты, — усмехнулся Дронго. — Но теперь я действительно не успокоюсь. И пойду до конца...

Он не успел договорить, когда раздался телефонный звонок. Эдгар достал телефон, это звонили на его номер. Увидев незнакомые цифры, показал номер эксперту, а тот покачал головой. Он тоже не знал этого абонента.

— Слушаю вас, — сказал Эдгар.

— Это господин Вейдеманис? — Незнакомый голос был с очень сильным акцентом, скорее всего туркменским.

— Да, это я.

— С вами говорит Овазгельды Курбанов. Я представляю организацию «Свободных туркмен», проживающих в Москве.

— Очень приятно. Чем обязан вашему звонку?

— Мы хотим срочно увидеться с вашим другом и напарником господином Дронго.

— Понятно. Можете сказать, по какому вопросу? — Эдгар включил громкую связь, чтобы эксперт мог слышать слова позвонившего.

— Конечно, могу. Дело в том, что сегодня наш друг Ягмыр Пурлиев попал в автомобильную аварию и сейчас находится в больнице. Но мы узнали, что сегодня днем вы со своим другом были у него в Жуковке, когда там произошла смерть садовника. Наше общество не верит в подобные случайности. Очевидно, кто-то намеренно хотел убрать господина Пурлиева. Сначала отравили его садовника, затем подстроили автомобильную аварию. Нам надо срочно встретиться с вашим другом, господином Дронго, о котором мы много слышали, и попросить его взять на себя расследование этих двух покушений. Разумеется, мы готовы оплатить все ваши расходы.

— Когда вы хотите встретиться? — уточнил Вейдеманис.

— Завтра утром. Чем раньше, тем лучше. В десять утра вас устраивает? Мы можем приехать к вам в офис. И скажите заранее, сколько будут стоить ваши услуги. Мы готовы все оплатить. Но нам нужна правда, полная правда о случившемся. Поверить в такие совпадения мы не можем. Садовник отравился сам, а наш друг и соратник случайно попал в аварию. Мы слишком серьезные и ответственные люди, чтобы верить в подобные случайности. Вы меня понимаете?

— Вполне. Завтра утром мы будем вас ждать, — сказал Эдгар, глядя на молчавшего Дронго.

— До свидания, — попрощался позвонивший и отключился.

— Вот видишь, как все здорово получилось, — весело произнес Вейдеманис, убирая телефон в карман, — с одной стороны, ты полностью удовлетворишь свою страсть к расследованию, а с другой — тебе за это еще и заплатят «Свободные туркмены». Хорошо быть в оппозиции, если за это еще и платят.

— Я же говорю, что ты становишься меркантильным человеком, — отмахнулся Дронго, — но, видимо, Пурлиеву удалось убедить и своих соратников в том, что ему действительно угрожает серьезная опасность. Поэтому завтра утром мы примем их посланца и даже позволим ему заплатить за наше расследование. А потом поедем к нему на работу и в эту фирму «Прометей», чтобы разобраться, кто и зачем за ним следил.

— Я думал, что сам этим займусь, но раз ты так решил, пусть так и будет, — согласился Эдгар. — Видишь, как все устроилось.

— Ничего не устроилось. Один человек погиб, другой в реанимации, и мы не понимаем, что именно происходит. А если я просто выдал желаемое за действительное? Если Пурлиев действительно ни в чем не виноват, а моя ненависть к жуликам и коррупционерам не позволила мне быть объективным? Может, его действительно пытаются убить и смерть садовника была как бы последним предупреждением? Но в таком случае слишком мало времени прошло между первой трагедией и второй. Даже для опытных профессионалов, которые должны были дать время Пурлиеву на небольшую передышку.

— И я должен поверить, что ты ошибался? — насмешливо посмотрел на эксперта Вейдеманис. — Да, ты действительно превращаешься в ворчливого старика. В свои пятьдесят лет.

— Кто бы говорил, — покачал головой Дронго, — ты ведь старше меня по возрасту. А насчет этих оппозиционеров все понятно — им нужен коварный и сильный враг, чтобы оправдать свою деятельность. Признаться, что они просто выброшены из страны и никому не интересны, они не могут и не хотят. Поэтому такая бурная имитация деятельности. Да и спонсоры останутся недовольны, если оппозиция не будет ничего делать. Поэтому завтра они к нам приедут и даже предложат гонорар за наше расследование. Но сейчас меня больше всего интересуют оставшиеся в доме кухарка и супруга Пурлиева. Интересно, что именно она рассказала своей дочери о случившемся? В каких выражениях? И где сейчас находится эта любящая жена?

— Поедем в больницу?

— Нет, не сегодня. Он сейчас в коме и вряд ли сумеет отвечать на наши вопросы. Да и наш визит в больницу не останется незамеченным, и Мельников снова начнет нас подозревать. Поэтому будет лучше, если мы воспользуемся этой паузой и пока побеседуем с другими людьми.

— Ладно, — согласился Вейдеманис, — тогда я поеду домой. Уже поздно.

— Завтра в девять тридцать встречаемся в нашем офисе, — предложил Дронго, — а потом отправимся в компанию Пурлиева. Интересно, кто такая эта Мила, которая звонит ему на мобильный только из его приемной? Неужели экономит и поэтому не звонит со своего телефона?

Вейдеманис пожал плечами и, попрощавшись, вышел из квартиры. Дронго прошел в кабинет и еще долго сидел перед компьютером, пытаясь получить больше информации и о современной Туркмении, и о ее политике, и о ее оппозиции. И чем больше удавалось найти материалов на сбежавшего Пурлиева, тем мрачнее он становился.

Ночью во сне он все еще продолжал свои споры с бывшим туркменским чиновником. А утром, побрившись и приняв душ, подготовился к встрече.

Представитель организации «Свободные туркмены» в течение часа излагал претензии к существующему в Ашхабаде правящему режиму Курбанкулы Бердымухаммедова. Гость был чуть ниже среднего роста, с непропорционально большой головой, жесткими черными волосами, глубоко посаженными раскосыми азиатскими глазами, острым носом и широким лицом. Он не жалел слов для осуждения режима ушедшего Туркменбаши Ниязова и нынешнего лидера Туркмении и уверял, что «Свободные туркмены» сделают все для демократизации и свободы своей страны. На вопрос, кем именно он работал в Туркмении, посланец покраснел и заявил, что был ответственным сотрудником парламента страны до тех пор, пока его не сняли с работы по ложному обвинению во взятке.

— Меня подставили, чтобы убрать с работы, а вместо меня посадить одного из родственников нашего бывшего председателя парламента, — пояснил гость.

— И вы, конечно, не были ни в чем виноваты, — уточнил Дронго.

— Разумеется, ни в чем, — ответил Курбанов, быстро отводя глаза, и невольно поерзал на месте. Даже непосвященный человек понял бы поведение гостя. Он явно лгал, и все его рассуждения о свободе и демократии были только демагогией, прикрывающей стремление вернуться любым способом обратно в страну, получить «хлебную» должность и снова получать незаслуженные деньги и другие блага.

Все закончилось тем, что посланец сообщил о желании заключить договор с частным экспертом, чтобы узнать истинные причины смерти садовника и происшедшей с Пурлиевым аварии. Он готов был подписать договор от имени своей организации. Дронго отправил его вместе с Эдгаром к Кружкову, чтобы оформить договор, под которым гость поставил свою подпись. Наконец все было закончено. Курбанов заплатил аванс, получил чек и, беспрерывно прощаясь, удалился. Только после его ухода Дронго облегченно вздохнул и признался другу:

— Кажется, я немного устал от этого типа, но в любом случае нам нужно отправляться в компанию Пурлиева. Надеюсь, Мельников пока еще не догадался туда поехать.

— Тебе не кажется, что этот тип немного демагог? — спросил Вейдеманис, показав на дверь, куда ушел гость.

— Приходится с этим мириться, — заметил Дронго. — Но нам пора отправляться в компанию Пурлиева. Посмотрим, что там творится, заодно увидим, как он устроился в Москве.

Через сорок минут они уже входили в здание, на двух верхних этажах которого находилась компания Пурлиева. У входа их ждал сотрудник охраны и вежливо пояснил, что сегодня в компании никого не принимают.

— Мы приехали сюда по просьбе самого господина Пурлиева и его друзей, — пояснил Дронго.

— Подождите, — предложил охранник, вызывая кого-то по рации, и, перебросившись парой слов, добавил: — Сейчас к нам выйдут.

Почти сразу появилась молодая женщина в строгом темном костюме, белой блузке и на высоких каблуках. Она была блондинкой, с аккуратно уложенными волосами, и Дронго вспомнил, как Пурлиев уверял, что предпочитает брюнеток. Очевидно, он лгал и в этом случае.

— Добрый день, — поздоровалась она. — Меня зовут Наталья. Я секретарь господина Пурлиева. Могу вам чем-то помочь?

— Мы — частные эксперты и приехали сюда по просьбе самого господина Пурлиева, — пояснил Дронго.

— Вполне возможно, но он вчера попал в тяжелую аварию и находится в больнице. Боюсь, что сейчас ваш визит не состоится, вы можете перезвонить через несколько дней, когда он поправится.

— Именно поэтому к нам приехал утром его соратник господин Курбанов и попросил нас о помощи, — сказал Дронго. — Полагаю, вы легко можете все проверить. Это было желание и самого господина Пурлиева.

— Извините, но я действительно проверю. — Молодая женщина повернулась и пошла по коридору. Охранник проводил ее восхищенным взглядом.

Дронго тихо заметил:

— Красивая женщина.

— А у нас все такие, — буркнул молодой человек. — Нашу компанию называют «салоном красоты», здесь все девочки на подбор.

Ждать пришлось достаточно долго. Очевидно, секретарь звонила не только Курбанову, но и кому-то еще. Появилась она в сопровождении высокого мужчины с характерной внешностью прибалта. Вытянутое лицо, резкие черты, светлые волосы, серые глаза.

— Юло Адамс, — представился он, — я — вице-президент компании. С кем имею честь?

— Господин Эдгар Вейдеманис, — показал эксперт на своего напарника, — а меня обычно называют Дронго.

— Господин Курбанов подтвердил, что их объединение действительно просило вас о помощи, — кивнул Адамс, — и сообщил, что два дня назад господин Пурлиев был у вас с такой же просьбой. Он не назвал мне причину такого странного поступка, но, возможно, у него были на это свои основания. Что именно вас интересует?

— Мы хотим переговорить с вами и сотрудниками компании, — пояснил Дронго. — Дело в том, что вчера в доме господина Пурлиева произошло еще одно странное событие. Погиб его садовник. Отравился. Возбуждено уголовное дело, проводится проверка, и есть все основания полагать, что садовника отравили.

Адамс взглянул на стоявшую рядом женщину, а она испуганно посмотрела на гостей. Скорее всего, он уже знал о происшедшей трагедии с садовником, тогда как она еще ни о чем не подозревала.

— Не будем об этом в коридоре, — предложил вице-президент, — давайте пройдем ко мне в кабинет. Наталья, вы можете вернуться на свое место, — добавил он, обращаясь к секретарю, и негромко попросил: — Не нужно рассказывать никому про садовника.

Она согласно кивнула и быстро отошла в сторону. Мужчины направились к кабинету вице-президента. В его приемной сидела еще одна блондинка, но более молодая, не больше двадцати пяти лет. Адамс коротко приказал никого не пускать и пригласил обоих гостей в свой кабинет. Показал им на стол для заседаний, устраиваясь напротив, и заговорил:

— Я готов вас выслушать и даже помочь, если смогу. Вы, очевидно, уже поняли, что мы не хотим разглашать информацию о том, что произошло вчера в доме Пурлиевых. Не нужно нервировать людей. Садовник погиб, отравившись каким-то некачественным напитком, так нам сообщили в следственном комитете. А вечером, когда Ягмыр Пурлиев решил приехать на работу, шел сильный дождь, и его машина перевернулась на повороте. Видимо, на нем сказалась неожиданная смерть садовника, и он был в плохом настроении, поэтому был не очень внимателен.

Дронго посмотрел на спокойное лицо Эдгара Вейдеманиса и подумал, что разведчиков неплохо готовили в бывшем Комитете государственной безопасности.

— Сколько человек у вас работает? — спросил он Адамса.

— Восемьдесят три, — ответил тот.

— Господин Пурлиев называл другую цифру, — вспомнил Дронго, — упоминал о девятнадцати сотрудниках.

— Я говорю обо всех, включая охранников, уборщиц, секретарей и водителей, — пояснил Адамс, — а ответственных сотрудников действительно девятнадцать человек.

— Вы давно работаете в компании?

— Четыре года. Я перешел сюда из другой компании. Пурлиев сделал мне неплохое предложение, и я согласился. У меня был опыт работы в подобных компаниях, раньше мы сотрудничали с «Тоталь».

— Не сомневаюсь. Кроме вас, есть другие вице-президенты?

— Нет, я единственный. У нас небольшая компания. В основном эксперты, аналитики и сотрудники юридической службы, оформляющие наши сделки.

— Кто был до вас вице-президентом компании?

— Разве это так важно? — удивился Адамс.

— Если бы было неважно, я бы вас не спрашивал.

— Господин Долгушкин, — ответил вице-президент. Было понятно, что ему не хотелось вспоминать об этом человеке и тем более что-то рассказывать. — Он работал до меня, Дмитрий Павлович Долгушкин.

— Где он сейчас?

— Создал собственную компанию и ушел от нас.

— Вы можете назвать причины?

— Человек решил создать свое дело и ушел. Какие еще могут быть причины? — хмуро спросил Адамс.

— Именно поэтому я вас и спрашиваю. Он неожиданно решил создавать собственное дело? Никаких предпосылок к этому решению не было?

— У них возникли определенные разногласия с господином Пурлиевым, и Долгушкин решил уйти, — нехотя проговорил Адамс. — Это все, что я знаю. Все разногласия произошли до моего прихода в компанию, — добавил он.

— Насколько я помню, Долгушкин был одним из совладельцев компании? — не собирался сдаваться Дронго.

— Да, был. Но когда он ушел, то соответственно получил свою долю целиком и полностью — все было оформлено юридически безупречно. Господин Пурлиев выкупил его долю, выплатив ему деньги. Мы расстались с ним тогда раз и навсегда. Он создал конкурирующую компанию и сейчас работает в ней.

— А кому сейчас принадлежит ваша компания?

— Она принадлежит Пурлиеву, — пояснил Адамс, — целиком и полностью, — он во второй раз повторил эти два слова, и стало понятно, что он немного нервничает. — И всю прибыль соответственно получает только Ягмыр Пурлиев. Все остальные, включая и меня, только наемные сотрудники, которые работают за зарплату.

— И бонусы с прибыли никто не получает?

— Получают. Все ответственные сотрудники компании получают соответствующие бонусы в конце года, если была определенная прибыль. Ягмыр понимает, что это очень стимулирует работников. Еще при создании компании такое предложение внес наш главный аналитик, и с тех пор оно неукоснительно соблюдается. Это мобилизует людей и заряжает их на хорошую работу.

— Среди них есть женщина по имени Мила?

Адамс нахмурился и сделал неопределенный жест рукой. Блеснула дорогая запонка на манжете его белоснежной рубашки. Ему явно не понравился вопрос, но он все-таки спросил:

— А почему вас интересует именно она?

— Вчера, когда мы беседовали с Пурлиевым, она несколько раз звонила ему отсюда, — пояснил Дронго, немного привирая, — и он разговаривал с ней в нашем присутствии.

— Возможно, — отвел глаза Адамс. — Она наш эксперт-аналитик по рынкам ценных бумаг, и у нее могли быть веские причины позвонить и срочно побеседовать лично с Пурлиевым.

— Настолько важные, что она не могла позвонить по своему телефону, а все время названивала из его приемной? Где она сидит? В соседнем кабинете?

— Не знаю. Наверное, ей так было удобнее, — нахмурившись, ответил Адамс. — Но она сидит на другом этаже.

— Мы можем с ней переговорить?

— Не думаю.

— Почему?

— Она не вышла сегодня на работу.

— Может, заболела?

— Видимо, так, она несколько дней уже плохо себя чувствовала, — согласился Адамс, продолжая не смотреть в глаза гостю.

— Вы можете дать ее телефон, чтобы мы ей позвонили?

— Можем. Номер ее телефона вам даст Наталья. Это секретарь Ягмыра, они дружат с Милой. Мне ее личный телефон неизвестен. И не нужен, — вздохнув, добавил через секунду Адамс.

Дронго взглянул в глаза вице-президенту и прямо спросил:

— Это его любовница?

Глава 6

Услышав этот вопрос, Адамс смутился, покраснел и снова отвел глаза. Взял ручку, лежавшую перед ним на столе, переложил ее в другое место. Дронго терпеливо ждал.

— Как вы думаете, что именно я должен ответить на такой вопрос? — наконец поднял голову вице-президент.

— Если бы я пришел из модного глянцевого журнала, то вы должны были просто закончить со мной беседу и выставить нас из кабинета, — сказал Дронго, — но я эксперт по вопросам преступности. И появился здесь для того, чтобы разобраться, почему вчера убили садовника в доме президента вашей компании и каким образом сам Пурлиев мог попасть в аварию. Вчера действительно был дождь, но каким образом его навороченная машина могла перевернуться на повороте, я не совсем понимаю. О расследовании обоих случаев меня попросила и оппозиционная туркменская организация, в которой он состоял. Именно поэтому я приехал к вам в компанию, и именно поэтому вам не нужно игнорировать мой вопрос, а постараться ответить на него максимально открыто и честно.

— Я не комментирую личную жизнь наших коллег, — сухо отрезал Адамс.

— Повторяю, я пришел не сплетни собирать, — терпеливо напомнил Дронго, — мне нужна правда. Которую я, в общем, уже знаю. Вчера ваш «эксперт» несколько раз звонила на мобильный телефон Пурлиева из приемной. И он почти все время отключал телефон, хотя видел, что ему звонят с работы. Нормальная реакция любого шефа — ответить своему секретарю. Ведь на работе могло произойти нечто важное. Но он каждый раз сбрасывал звонки. Рядом была супруга, и именно поэтому ему звонили с мобильного. Самое смешное, что для этого ваша Мила должна была каждый раз подниматься со своего этажа в приемную, чтобы позвонить. Значит, ей было важно, чтобы ее номер телефона не высвечивался на аппарате господина Пурлиева. Очевидно, его супруга уже догадывалась о подобной связи. Ну и, наконец, после вчерашней аварии эта дама сегодня не появилась на работе. Вывод более чем очевиден. Я не удивлюсь, если узнаю, что она навещала Пурлиева в больнице.

Наступило молчание. Адамс усмехнулся, покачал головой.

— Никогда не думал, что встречу человека с мышлением Шерлока Холмса. Хотя вы — эксперт по вопросам преступности, значит, сыщик. Я могу только подтвердить, что наша сотрудница была в достаточно близких отношениях с президентом нашей компании. Вас устроит такой ответ?

— Более чем, — согласился Дронго. — Телефон и адрес мы, конечно, возьмем у Натальи, но меня интересует, что именно вы думаете об этой Миле. Как ее полное имя? Людмила?

— Нет, Милена, — ответил Адамс, — у нее отец был сербом, а мать русская. Но отец бросил их еще много лет назад. Она была Миленой Носовой по матери, потом стала Миленой Виноградовой по мужу.

— Вы знаете достаточно много для человека, не интересующегося личной жизнью своих коллег, — поддел его Дронго. — Сколько ей лет?

— Тридцать четыре. Она окончила институт Губкина десять лет назад.

— И с тех пор повышала свою квалификацию в вашей конторе? — не удержался от сарказма Дронго.

— Нет, — оценив шутку, улыбнулся Адамс, — нет. Она работала в разных местах. И только последние три года работает у нас. Ведущим экспертом. Хотя их двое.

— Вторая тоже молодая блондинка?

— Откуда вы знаете, что она блондинка?

— Пурлиев говорил нам, что особенно любит блондинок, — снова солгал Дронго. Однако на этот раз он был убежден в правильности своего вывода. Ведь Пурлиев говорил как раз обратное, а его секретарь была ярко выраженной блондинкой. Возможно, он высказывался так только для своей супруги, которая была брюнеткой.

— Вы правы, — кивнул Адамс, — ему действительно нравятся блондинки. Южный мужчина имеет право на подобный выбор. Мила тоже блондинка. Натуральная. Она чем-то похожа на молодую Татьяну Доронину. Тоже немного в теле, и такие же волосы. Хотя, на мой взгляд, Доронина гораздо красивее, в ней чувствуется настоящая женщина.

— А в Милене?

— Другая порода зверей. Доронина — прекрасная львица, — немного подумав, пояснил Адамс, — а Милена скорее волчица, которая при помощи остальных зверей загоняет свою жертву для нанесения последнего удара. Вот такой зоопарк.

— Интересная характеристика, — усмехнулся Дронго. — А кто вторая? Я имею в виду эксперта. Тоже блондинка?

— Только седая. Горбштейн Лев Эммануилович. Ему уже семьдесят шесть. В молодости был рыжим, можно считать, почти блондином. Сейчас седой и лысый. И настоящий эксперт. Просто финансовый гений. Мы платим ему колоссальную зарплату, но если он попросит в два раза больше, то и тогда мы не прогадаем, настолько точные и верные прогнозы он дает. Только об этом не нужно ему говорить, — на всякий случай попросил вице-президент.

— Не скажем, — пообещал Дронго. — Вот видите, я верю вам на слово и не спрашиваю ничего про Льва Эммануиловича, который тоже мог быть «любовницей» вашего шефа.

Они расхохотались почти одновременно, улыбнулся и Вейдеманис.

— Смешно, — сказал Адамс, — но я стараюсь отвечать на ваши вопросы максимально корректно, чтобы никого не обидеть и не оскорбить.

— Это мы уже оценили, — кивнул Дронго, — с экспертами тоже разобрались. А где она живет?

— Кажется, где-то в центре, — вспомнил вице-президент, — по-моему, на Гоголевском бульваре, но, возможно, я ошибаюсь.

— Неужели у нее такая большая зарплата, — притворно удивился эксперт, — или она получила там квартиру в наследство? Она москвичка?

— Нет. Приехала из Воронежа.

— И сразу получила квартиру в самом центре?

— Я не знаю подробностей. Но ее первый муж был достаточно состоятельным человеком. Потом они развелись. Возможно, он оставил ей квартиру, — предположил Адамс.

— Или квартиру купил ей ваш шеф, — уточнил Дронго.

— Может быть, — ответил Адамс, — но я не уверен. И никогда его об этом не спрашивал. Я вообще стараюсь не лезть в чужие дела, это мой жизненный принцип.

— Ваш шеф сейчас в коме, — напомнил Дронго, — и неизвестно, чем все это закончится. Вероятно, это была не просто авария, а целенаправленное столкновение, пока мы не знаем результатов технической экспертизы.

— Что вы от меня хотите?

— Только правды. Пурлиев утверждал, что чувствует, как за ним наблюдают. Как вы считаете, господин Долгушкин мог организовать подобное наблюдение за своим конкурентом?

— Не знаю, — удивился Адамс, — я же вам сказал, что не был лично знаком с моим предшественником. Когда я здесь появился, он уже уволился. Говорили, что Пурлиев даже выплатил своему бывшему компаньону двенадцать миллионов долларов. Но, возможно, это только слухи. Хотя после ухода господина Долгушкина у нас были некоторые проблемы, я это точно знаю. Но сейчас мы твердо стоим на ногах, даже если болезнь Пурлиева затянется на месяц или два. У нас очень устойчивое положение.

— Секретарь вашего шефа Наталья могла знать Долгушкина?

— Нет. Абсолютно точно, нет. Она пришла только два или три года назад. Уже после меня. Кажется, по протекции Милены.

— И здесь никто не работал с Долгушкиным?

— Работал, — вспомнил Адамс, — Лев Эммануилович. Если хотите, я его сейчас приглашу. У старика фантастическая память и эрудиция. Дай нам бог всем так мыслить в его возрасте.

— Позовите, — попросил Дронго.

Адамс поднялся и, подойдя к своему столу, поднял трубку внутреннего селектора.

— Добрый день, Лев Эммануилович, — вежливо поздоровался он, — вы не могли бы зайти ко мне? Да, прямо сейчас. — Он положил трубку и взглянул на гостей: — Сейчас придет.

И действительно, через пару минут позвонила секретарь и доложила:

— Пришел Лев Эммануилович.

— Пусть войдет, — разрешил Адамс.

В кабинет вошел пожилой мужчина среднего роста. Седые редкие волосы, большие уши, красноватое лицо — очевидно, Горбштейн был гипертоником, достаточно крупный нос, выразительные большие глаза. Очки без оправы. Он был одет в серый элегантный костюм, голубую рубашку и модный галстук в полоску. Лев Эммануилович подошел к поднявшимся со своих мест гостям.

— Познакомьтесь, — представил их друг другу хозяин кабинета. — Лев Эммануилович Горбштейн и господа эксперты, господин Дронго и господин Вейдеманис.

— Тот самый Дронго, — усмехнулся Горбштейн, пожимая сыщикам руку, — не предполагал, что когда-нибудь с вами лично встречусь.

— Вы знакомы? — удивился Адамс. — Я не думал, что вы знаете друг друга.

— Господин Дронго известный сыщик, — пояснил Горбштейн, — про него иногда пишут в зарубежных изданиях. А я читаю по-английски и по-французски, поэтому достаточно часто встречаю его фамилию в разделе криминальной хроники, которую тоже просматриваю. Такой интересный гибрид Эркюля Пуаро и Ниро Вульфа.

— У нас к вам необычное дело, Лев Эммануилович, — начал Дронго. — Вы, очевидно, уже знаете, что именно произошло с президентом вашей компании.

— Попал в автомобильную аварию, — кивнул Горбштейн. — Утром я еще ничего не знал, но по каналу РБК уже передали в сводке новостей. Я позвонил Наталье, и она подтвердила мне неприятную новость. Надеюсь, что он поправится.

— Мы тоже на это надеемся, — кивнул Дронго, — но нам необходимо задать вам несколько вопросов.

— Мне? — удивился Лев Эммануилович, поправляя свой модный галстук. — Даже интересно, чем именно я могу помочь сыщику. Мне казалось, что я достиг такого возраста, когда могу быть гарантирован от общения с вашими коллегами. Но, видимо, правильно говорят — от сумы и тюрьмы не зарекайся. Чем я могу вам помочь?

— Вы давно работаете в компании?

— С самого первого дня ее основания. Собственно, все началось с того, что меня пригласил господин Пурлиев. Сначала нас было двое, потом пятеро, потом мы основали эту компанию, и я стал ведущим экспертом. Что именно вас интересует?

— Долгушкин был с вами?

— Да. Он был третьим, — улыбнулся Лев Эммануилович. — Требовался российский гражданин с российской пропиской, чтобы зарегистрировать компанию, и с небольшим начальным капиталом. Долгушкин оказался идеальной кандидатурой, и мы позвали его в компанию.

— У них не было конфликтов с Пурлиевым?

— Какие конфликты? Пурлиев работал, а Долгушкин только бил баклуши, — сказал Горбштейн. — Так продолжалось достаточно долго, пока Пурлиев не получил российское гражданство. После этого он уже не захотел терпеть загулы Дмитрия Павловича. Начались скандалы, и в конце концов Ягмыр просто выставил своего компаньона из компании, уплатив ему двенадцать миллионов долларов. Они все оформили нотариально. Вот тут у Долгушкина и проявился характер. Он нашел несколько человек из тех молодых ребят, которые нам обычно помогали, переманил их посулами хорошей зарплаты и основал свою компанию. Ну, а молодые ребята решили доказать, чего они стоят. Когда есть молодой задор и хорошие мозги, да еще и большие деньги... можно многое сделать, даже при таком владельце, как Долгушкин. Поэтому их компания стала нашим основным конкурентом.

— Понятно, — снова кивнул Дронго. — Как вы считаете, Долгушкин мог организовать наблюдение за своим бывшим компаньоном?

— Думаю, что мог, — немного подумав, ответил Лев Эммануилович, — ведь все равно его компания раза в три или в четыре меньше нашей по объемам, и Дмитрию Павловичу это, конечно, не нравилось. Его задачей номер один стало не просто конкурировать с нами, но и постараться нас превзойти. Никто, кроме Ягмыра, не знал, что Долгушкин дважды предлагал мне перейти к нему и готов был платить в два раза больше денег. Но я аналитик, и у меня достаточно известное имя. Если я позволю себя перекупить и об этом узнают в других компаниях, то моей репутации будет нанесен непоправимый ущерб. Это не значит, что я такой бессребреник, просто моя репутация стоит еще больших денег, чем те суммы, которые мне предлагал Долгушкин. Вся Москва знает, что мне можно доверять, и я никогда и никого не подводил.

— Прекрасная речь, — улыбнулся Дронго, — сейчас так мало людей, которые заботятся о своей репутации.

— Спасибо. Только почему вы все время спрашиваете меня про Долгушкина? Вы считаете, что авария, в которую попал Ягмыр, так или иначе связана с ним?

— Пока не знаю, но пытаюсь это понять. Дело в том, что вчера скончался садовник Пурлиевых, и я убежден, что смерть его была насильственной.

— Это очень серьезно, — нахмурился Лев Эммануилович. — И вы считаете, что за этими преступлениями стоит Долгушкин? Конечно, у него было чувство уязвленного самолюбия, обиды человека, которого прогнали, несмотря на все его миллионы, но решиться на такое... Я не думаю. Или нет, не знаю, так будет точнее. Все-таки прошло несколько лет. Хотя Долгушкин не похож на человека, готового идти на такие серьезные преступления.

— А вы считаете, что для подобной акции нужна некая внутренняя готовность? — поинтересовался Дронго.

— Безусловно, — кивнул Горбштейн, — человек должен быть готов к подобному злу, носить его в себе, кормить, лелеять, пестовать и в один прекрасный день позволить этому «чудовищу» овладеть собой.

— Я занимаюсь расследованием преступлений много лет, — возразил Дронго, — и скажу вам по секрету, что некоторые люди совершают такие поступки, о которых они не могли даже подумать. В каждом человеке изначально сидит нечто божественное и нечто дьявольское. Люди замешены на этих двух началах. Один и тот же человек может быть хорошим семьянином и прекрасным товарищем, а в какие-то считаные мгновения превращается в вурдалака. Люди изначально не рождаются хорошими или плохими.

— Хотите сказать, что судьба повелевает человеком? — спросил Лев Эммануилович.

— Нет. Человек сам хозяин своей судьбы, но в нем однажды могут проснуться демоны, о которых он даже не подозревает. Испытание страхом, деньгами, славой или завистью, ревностью или злобой. Не каждый человек готов пройти через все эти чувства, сохранив свою душу в неприкосновенности. Кант говорил, что более всего на свете его поражает звездное небо над нами и нравственный императив внутри нас. А этот императив формируется в каждом человеке, но не каждый готов к нему прислушиваться.

— Интересное наблюдение, — задумался Горбштейн. — Похоже, я могу с вами согласиться, особенно учитывая, что я — главный аналитик нашей компании.

— У вас два эксперта-аналитика, — напомнил Дронго.

— Ну да. И примерно одной квалификации. Я не удивлюсь, если узнаю, что она получает даже больше меня. Хотя каждому свое. Возможно, ее труд более ценен и гораздо сложнее моего. Как вы думаете? — лукаво осведомился Лев Эммануилович, обращаясь к Адамсу.

— Не нужно так говорить, — мрачно попросил тот, — вы знаете, что самый большой оклад в компании именно у вас.

— Надеюсь, — улыбнулся Горбштейн.

— Что вы думаете о своей коллеге? — продолжал Дронго.

— Красивая, — ответил Лев Эммануилович. — Роскошное тело, прекрасные волосы, чувственные губы. Всегда хорошо одета и не выглядит вульгарной, что очень важно. Умеет себя подать. Недавно выучила английский, наняв специального преподавателя. Очевидно, ее раздражало, когда все английские газеты и журналы приносили только мне. В общем, красивая и неглупая женщина при богатом друге. Почти идеальное сочетание.

«Он еще и циник», — подумал Дронго. Но ему нравилась откровенность старого специалиста.

— В вашей компании в последнее время были какие-то особые проблемы? — уточнил эксперт.

Горбштейн недоуменно посмотрел на Адамса. Тот медленно покачал головой.

— Мелкие проблемы есть у всех, но каких-то особых у нас не было, — ответил Лев Эммануилович. — Мы неплохо закончили прошлый квартал. Нет, у нас не было особых проблем. Все нормально.

— Можно еще несколько очень личных вопросов? — спросил Дронго.

— Надеюсь, вас не интересуют мои любовницы, которые могут быть в моем возрасте? — пошутил Горбштейн.

— Нет. Ваша личная жизнь меня не беспокоит. Я уверен, что все в порядке, — парировал Дронго.

— Не иронизируйте, дорогой сыщик. Моя третья супруга, на которой я сейчас женат, моложе меня на тридцать восемь лет. И у нас есть восьмилетняя дочь.

— С чем вас и поздравляю, — кивнул Дронго. — Но меня больше интересует личная жизнь шефа вашей компании. Как вы считаете, у него были хорошие отношения с супругой?

Адамс заерзал на стуле. Ему явно не нравились подобные вопросы.

— Нормальные, — немного подумав, ответил Горбштейн.

— Делером могла знать о Милене?

— Понятия не имею. Но могла догадываться. Ягмыр достаточно любвеобильный человек. Имея миллионы в Москве, невозможно не замечать красивых женщин. Они вас тоже сразу вычисляют в толпе. Нужно только умело противостоять напору этих девиц, но не у всех получается. У Ягмыра не всегда получалось.

— И все они попадали к вам на работу? — уточнил Дронго.

— Никто, кроме Милены, — ответил Лев Эммануилович, — это я гарантирую.

— Она могла быть причастна к устранению Пурлиева?

— Послушайте, — не выдержал Адамс, — ваши вопросы становятся все более и более неприличными.

— Вы можете ответить на мой вопрос? — повернулся к нему Дронго.

— Нет, не могу, — отрезал Адамс.

— А вы? — обратился эксперт к Горбштейну.

— Думаю, что могу. Само предположение выглядит абсолютной дикостью. Пурлиев является для Милы настоящей золотой дойной коровой. Вы видели где-нибудь человека, который хотел бы зарезать такую корову? Только абсолютный психопат. А Мила еще не достигла подобной стадии.

— В вашей компании президента любили? — Дронго уже понял, что его собеседник
достаточно независимый человек и не будет
лгать в угоду своему руководству. Они больше
зависели от аналитика, чем он от них.

— Скорее уважали, — почти не думая, ответил Лев Эммануилович

— Последний вопрос — у Пурлиева были
личные враги?

— Думаю, что личные враги есть у каждого, — покачал головой Горбштейн. — Он всегда
боялся, что его заберут прямо на улице и уве-
зут в Ашхабад. Но после получения российского гражданства немного успокоился. Если
вам нужны конкретные имена, то я их не знаю.

— Понятно. Спасибо, Лев Эммануилович, за
приятную беседу.

Дронго поднялся, протягивая руку анали-
тику. Рукопожатие было достаточно крепким,
несмотря на возраст Горбштейна. Тот пожал
руку и Вейдеманису, после чего быстро вышел
из кабинета.

— У вас странная манера допроса, — недовольно заметил Адамс.

— Очевидно, у каждого свой метод дозна-
ния, — ответил Дронго, — не беспокойтесь, мы
скоро уйдем, только поговорим с секретарем
вашего шефа.

— Ей вы тоже будете задавать подобные неприличные вопросы? — поинтересовался Адамс.

— Только приличные, — заверил его Дронго. — Мне нужен адрес и номер телефона Милы, пока до нее не добрался кто-то другой.

— Идемте, — согласился Адамс, — только запомните, что вы дали мне слово. Совсем необязательно задавать откровенные вопросы молодой женщине, чтобы ее напугать.

— Она тоже была «экспертом»? — уточнил Дронго.

— С вами невозможно разговаривать! — вспылил Адамс. — Идемте, я хочу, чтобы вы как можно скорее покинули территорию нашей компании. Пойдемте вместе, мне совсем не нужно, чтобы вы смущали всех остальных своими вопросами.

Они вышли втроем из кабинета, направляясь в соседнюю приемную, когда зазвонил телефон Дронго. Он посмотрел на экран, узнал вчерашний номер следователя и сразу ответил:

— Слушаю вас.

— Рядом с больницей неустановленная машина сбила женщину, — раздался злой голос Мельникова. — Вы можете мне объяснить, что вообще происходит?

Глава 7

Дронго ошеломленно взглянул на стоявших рядом Адамса и Вейдеманиса. Подобное известие было абсолютно невероятным.

— Она погибла? — спросил он в трубку, увидев, как оба одновременно тревожно посмотрели на него.

— Погибла на месте, при выходе из больницы, — подтвердил следователь, — именно поэтому я решил побеспокоить такого знаменитого сыщика, как вы, — не удержался он от сарказма.

— Это была Милена Виноградова? — Дронго не мог и не хотел верить в случившееся. Если Милену сбила машина, это уже совсем не случайность, и Пурлиев был прав, когда говорил об организации, следившей за ним и его близкими.

— Мы пока не знаем, кто это был, — продолжал следователь, — вы, очевидно, имеете в виду сотрудницу Пурлиева, которая навещала его сегодня утром. Но мы пока еще не сумели опознать тело. Хотя полагаю, что это могла быть она. А откуда вы знаете про Виноградову?

— Мы приехали в его компанию, — пояснил Дронго.

— Не удержались и решили проводить собственное расследование, — понял Мельников. — Напрасно вы ввязываетесь в это запутанное дело. Я уже не говорю о том, что это незаконно.

— Мы здесь по просьбе товарищей Пурлиева, которые заключили с нами официальный договор. У нас есть лицензия на подобную деятельность. И мы исправно платим налоги, — терпеливо напомнил Дронго.

— Я вас предупредил, — строго проговорил Мельников. — Даже если вы самый знаменитый эксперт, в нашей стране расследованием убийств и наездов занимаются следственный комитет, прокуратура и полиция. Мне хотелось узнать вашу реакцию на это сообщение. А оказалось, что вы меня даже опередили. До свидания.

Дронго положил телефон в карман и повернулся к Эдгару и Адамсу:

— Рядом с больницей машина сбила неустановленную женщину. Следователь полагает, что это может быть Милена Виноградова. Утром она приезжала в больницу — узнать, как чувствует себя пострадавший.

— Какое несчастье, — нахмурился Адамс, — неужели и она пострадала?

— Машина сбила Милену? — не поверил Эдгар.

— Пока тело не опознали, — ответил Дронго.

— Неужели бывают такие совпадения? — спросил изумленный Адамс. — Или вы считаете, что кто-то нарочно... — Он не договорил, глядя на обоих гостей.

— Пока мы ничего не знаем, — сказал Дронго, — идемте к Наталье и возьмем телефон Милены. Можно ей перезвонить и выяснить, кто была эта несчастная женщина, которая пострадала у больницы.

— Это была она, поэтому и не пришла сегодня на работу. Наталья говорила моему секретарю, что Милена собирается навестить в больнице Пурлиева. Черт возьми, — вырвалось у Адамса, — как такое могло случиться?!

— Кажется, это дело становится абсолютно непредсказуемым, — вставил Вейдеманис, —

я просто не понимаю, что происходит. Даже если за Пурлиевым следили, кому могла понадобиться его знакомая? Зачем ее убивать?

— Этого мы пока не знаем, — ответил Дронго, — не знает и следователь, иначе не стал бы звонить. Идемте быстрее, мы можем все проверить сами.

Они прошли в соседнюю приемную, где в большой светлой просторной комнате сидела за столом Наталья. Она с кем-то разговаривала. Увидев вошедших, секретарь быстро попрощалась, положила трубку и поднялась с места.

— У вас есть домашний и мобильный телефоны Милены Виноградовой? — спросил Адамс.

— Да, — кивнула Наталья, — конечно, есть. Вы хотите ей позвонить?

— Нет, — смутился Адамс, — я не хочу. Будет лучше, если вы сами ей позвоните.

Наталья понимающе усмехнулась и, взяв свой мобильный телефон, нашла имя Милены, которое значилось в ее телефонной книжке. Нажала на кнопку вызова, поднесла трубку к уху, прислушиваясь, и через некоторое время произнесла:

— Странно, Милена не отвечает на мои звонки. Обычно она сразу отвечает или перезванивает. Давайте немного подождем.

Адамс, нахмурившись, посмотрел на Дронго:

— Похоже, предположения вашего следователя оказались верными.

— Что случилось? — испугалась Наталья. — Почему она не отвечает? Вы что-то знаете?

— Пока ничего, — ответил Дронго, — может, перезвоните ей домой?

— Да, конечно. Сейчас перезвоню. — Наталья набрала номер подруги. Руки у нее дрожали, было заметно, как она нервничает.

Ей снова не ответили. Она испуганно посмотрела на стоявших рядом мужчин и почти жалобно проговорила:

— Она должна быть дома.

— Ваша подруга живет одна? — уточнил Дронго.

— Да. Но у нее есть домработница, которая приходит к ней три раза в неделю, — вспомнила молодая женщина. — Скажите, что с ней случилось? Она жива?

— А почему вы думаете, что ей что-то угрожает?

— Не знаю. Но люди разное говорят.

— Не нужно слушать чужие сплетни, — резко произнес Адамс.

— Что именно говорят? — не обратил внимания на выпад Дронго.

— Говорят, что у Пурлиева кого-то убили дома, и он пытался сбежать, но его машина перевернулась, — пояснила Наталья.

— Глупости! — нервно дернулся Адамс. — Не нужно их слушать и тем более верить в подобную ерунду. Наш президент попал в автомобильную аварию и временно нетрудоспособен. Скоро он поправится и выйдет на работу. Вот и вся информация, которую вы имеете право распространять. Вы меня понимаете?

— Конечно, — кивнула Наталья, — я так и говорю.

— Напишите телефоны Виноградовой и дайте их нашему гостю, — распорядился Адамс. — И чтобы больше никаких сплетен в нашей компании. Пока наш президент болеет, я исполняю его обязанности и требую соблюдать дисциплину.

Наталья быстро написала номера на листке и передала его Дронго.

— Что с ней случилось? — не удержавшись, спросила она.

Адамс осуждающе покачал головой.

— Ничего, — ответил Дронго, — пока мы ничего точно не знаем. Напишите свои телефоны тоже, пожалуйста. Они могут нам понадобиться. А я могу задать вам несколько вопросов наедине? Это нужно, чтобы помочь господину Пурлиеву.

Наталья посмотрела на вице-президента. Тот пожал плечами, не зная, что именно ему следует говорить. Вейдеманис взял его за локоть и шепнул в ухо:

— Давайте выйдем и оставим их одних, так нужно.

Адамс не стал возражать. Вместе с Эдгаром они вышли из приемной. Наталья показала на два кресла, стоявших в углу специально для гостей, и села в первое, все время глядя на свой телефон, который положила рядом на столик. Пока Дронго усаживался в другое кресло, она, не выдержав, подняла трубку и снова нажала кнопку повторного вызова. И снова никто ей не ответил. Она раздраженно положила его на столик, достала сигареты, щелкнула зажигалкой и, закурив, нервно уточнила:

— Что вы хотели спросить? Задавайте свои вопросы. Только сначала я задам вам свой. Что с ней случилось? Почему вы сюда пришли? Что произошло на самом деле с нашим президентом?

— Это три вопроса вместо одного, — заметил Дронго. — Вы напрасно так нервничаете. Мы тоже пытаемся выяснить, что именно случилось с вашей подругой и что произошло вчера с вашим президентом.

— Но утром вы не интересовались Миленой, — настойчиво продолжала задавать вопросы Наталья.

— Утром мы еще не предполагали, что сегодня она поедет в больницу к вашему патрону, вместо того чтобы выйти на работу.

— Она не могла выйти на работу в таком состоянии, — пояснила Наталья, выпуская струю дыма в сторону, — вы ведь уже наверняка знаете, что она была близким другом Ягмыра Пурлиева.

— Настолько близким, что он купил ей квартиру?

Услышав вопрос Дронго, молодая женщина нахмурилась, с силой затушила сигарету и вызывающе произнесла:

— Да, купил. Он совсем не бедный человек и мог позволить себе делать такие подарки красивой женщине.

— Почти согласен. Это значит, что они были более чем близкими друзьями.

— Ну и что? Это личное дело каждого. Или вы приехали по поручению его жены, чтобы выяснить, какие отношения были у Милены с нашим президентом? — спросила Наталья, доставая вторую сигарету.

Дронго поднялся и буквально вырвал пачку сигарет из ее рук.

— У меня аллергия на сигаретный дым, — пояснил он изумленной женщине.

— Что вас еще интересует? — нахмурилась Наталья, но не потребовала назад своей пачки сигарет.

— Я — эксперт по расследованию тяжких преступлений, — пояснил Дронго, — и не выполняю поручений членов семьи олигархов, тем более туркменских олигархов, сбежавших из собственной страны. Давайте закончим со мной и вернемся к вашей подруге. Это она помогла вам устроиться сюда на работу?

— Вам уже успели сообщить, — ядовито произнесла Наталья. — Об этом мне всегда напоминают. Да, она попросила Ягмыра взять меня секретарем. Предыдущий секретарь ушла в декретный отпуск. А я пришла. У меня высшее образование и знание двух иностранных языков. Я могла устроиться и в другом месте, но выбрала именно эту компанию.

— Но не устроились, — заметил Дронго, — а выбрали именно эту компанию.

— Мне показалось, что здесь будет интереснее, — сухо пояснила она.

— Не сомневаюсь в ваших способностях, — продолжал Дронго. — Однако хочу у вас спросить: почему ваша подруга звонила от вас? Его супруга знала об их отношениях?

— Думаю, что догадывалась. У нас ведь бывали разные кооперативные вечеринки, встречи, приемы, и она могла что-то увидеть и услышать. Делером — сильный человек, и ей не могли понравиться подобные отношения ее мужа с Миленой. Поэтому она начала обращать внимание на номера телефонов, когда звонила Милена. А та не хотела лишний раз подставляться или подводить Ягмыра, и ей приходилось звонить отсюда. Меня Делером подозревает меньше, — улыбнулась Наталья, — я ведь должна по долгу службы все время общаться с ее мужем.

— Делером ревновала?

— Думаю, что да. А кто бы не ревновал? У нас здесь работают красивые женщины, она не могла этого не замечать.

— Я спрашивал про Милену, — напомнил Дронго.

— И в этом случае тоже, — продолжала Наталья. — Милена красивая, умная, породистая женщина. Настоящая европейка. В хорошем обрамлении бриллиант должен засиять. Есть такое понятие у ювелиров. Просто Милене не повезло с первым мужем. А Делером, наоборот, очень повезло. Так иногда случается в жизни. Вы знакомы с супругой Пурлиева? Она ведь такая злыдня. Приезжала к нам три или четыре раза и заходила к мужу, даже не здороваясь со мной. Вот такая стерва. Просто смотрела на меня как на пустое место и проходила мимо, даже не спрашивая разрешения. Наверное, хотела застукать мужа в объятиях другой женщины. Один раз у него шло совещание, и я не успела ее остановить. Ему пришлось выпроводить всех из своего кабинета, чтобы поговорить с женой. В общем, все не так просто.

— Вы ее не любите?

— Терпеть не могу, — призналась Наталья, — а вы знаете секретарей больших боссов, которым бы нравились жены их патронов? Я о таких не слышала. — Она посмотрела на телефон и покачала головой: — Не понимаю, почему она не перезванивает. Что у нее могло случиться? Вы ведь наверняка что-то знаете.

— Я уже сказал, что пока ничего не знаю. Есть подозрение, что ваша подруга могла попасть в автомобильную аварию.

— Вместе с Ягмыром? Это исключено. Мила была рядом со мной и узнала о том, что он попал в аварию, когда мы ждали его возвращения. Она собиралась сразу поехать в больницу, но я ее не пустила. Понимала, что там будет Делером. Мы звонили в больницу всю ночь. А утром она все же решила поехать в больницу. Думаете, что она тоже попала в аварию? Но Мила прекрасно водит свою машину.

— Какая у нее машина?

— Внедорожник «Ауди».

— Тоже подарок Пурлиева?

— Да. Вас это удивляет?

— Даже радует. Значит, она поехала в больницу на машине?

— Конечно. Она не ездит в метро или на автобусе, — усмехнулась Наталья.

— Можно еще несколько личных вопросов?

— Давайте. Я уже поняла, что вы не уйдете, пока не зададите все свои вопросы. Но учтите, что в коридоре нас терпеливо ожидает господин Адамс. Он, как и все эстонцы, очень терпеливый человек, но до определенного момента. Поэтому постарайтесь уложиться в отведенное вам время.

— Постараюсь. Ваш президент был любвеобильным человеком? Только откровенно.

— Вы хотите знать, изменял он жене или нет? А как вы думаете? С его-то возможностями и миллионами? И еще дома злая собака, я имею в виду Делером, а все окружающие женщины готовы повеситься ему на шею.

— Он делал дорогие подарки?

— Не всегда. Он был скуповат. Но Милене удалось вытянуть из него квартиру и машину, — с явным воодушевлением произнесла Наталья. Похоже, ей нравилась предприимчивая подруга.

— Можно еще один личный вопрос?

— Обо мне? Давайте.

— К вам он тоже был неравнодушен?

— Думаю, что да. Но я не давала повода, все-таки Милена моя самая близкая подруга, и я понимала, что не имею права выходить за определенные рамки. Видимо, он тоже это понимал.

— А по отношению к другим женщинам?

— Он любит женщин. Это ответ, который вы хотели услышать?

— Вполне. И еще вопрос. Ему в последнее время угрожали? Может, были какие-то непонятные звонки или неприятные посетители?

— У нас охранники не пускают обычных посетителей, — пояснила Наталья, — я не знаю о подобных звонках или гостях.

— У вас тоже есть машина?

— Да. Но не такая дорогая. Обычный «Фольксваген Пассат». Пятилетний, — ответила она с некоторым раздражением в голосе.

— Тоже чей-то подарок?

— А как вы думаете? — гордо подняла она голову. — Или считаете, что мне нельзя дарить машину?

— Не напрашивайтесь на комплимент. Вы прекрасно знаете, что очень хорошо смотритесь и производите впечатление.

— Спасибо, — кивнула Наталья. — Какие еще у вас вопросы?

— Вы купили его пять лет назад?

— Нет, в прошлом году. Я научилась водить и получила права.

В этот момент зазвонил городской телефон.

— Извините. — Наталья поднялась с кресла, подошла к телефону: — Я вас слушаю.

Видимо, ей сообщили нечто ужасное. Побледнев, она через силу выдавила:

— Да, я вас понимаю.

Дронго тоже встал и подошел к ней.

— До свидания, — осторожно положила трубку Наталья и посмотрела на эксперта. В глазах блеснула неожиданная ненависть.

— Верните мне мои сигареты, — потребовала она.

— Откуда вам звонили? — спросил Дронго.

— Из полиции, — не скрывая своего отвращения, ответила Наталья. — Вы мне солгали, она погибла. Просят кого-то приехать на опознание ее тела.

Глава 8

—Вы все знали, — раздраженно продолжала Наталья, — знали и молчали. Спрашивали об отношениях Ягмыра с погибшей и не сказали, что она умерла.

— Мне сообщили, что рядом с больницей погибла женщина. Но она была без машины, — пояснил Дронго.

— Ее сбила машина, когда она переходила улицу. Наверно, она припарковала свой внедорожник на другой стороне. Как вам не стыдно? Я больше не хочу с вами разговаривать. Прямо сейчас поеду в больницу, навестить Ягмыра.

— Чтобы занять ее место? — неожиданно спросил Дронго.

— Как вам... — вздрогнула Наталья и не договорила.

— Мне не стыдно, — закончил за нее Дронго. — Невозможно было не обратить внимания на все ваши ответы и поведение. И в разговоре со мной вы несколько раз назвали своего президента по имени. Интересно, что свою машину вы тоже получили в прошлом году, уже устроившись на работу. И, конечно, ревновали к своей подруге, которая сумела, как вы сказали, «вытянуть из него квартиру и машину». А вот для вас он оказался скуповат и приобрел только подержанный «Фольксваген». Но вы решили, что это только начало. Может, поэтому вы так сильно не любите его супругу. Не Милену, которой просто завидуете, а именно его супругу, которая ревнует его к вашей подруге, но в упор не замечает вас.

Наступило молчание. Наталья обошла свой стол, достала другую пачку сигарет, открыла ее и с явным вызовом закурила, глядя в глаза гостю. Не было произнесено ни слова. Неожиданно она поперхнулась, закашлялась и, бросив сигарету в пепельницу, сказала:

— Вы нехороший человек, все это время изучали меня, как бабочку на иголке.

— Я эксперт-аналитик, — напомнил Дронго, — и повторю, что меня прислала сюда не супруга Пурлиева. Значит, у вас были с ним какие-то отношения?

— Может быть, — ответила Наталья, — теперь, когда погибла Милена, я не вижу особого смысла скрывать. Несколько раз. Обычно в его кабинете. Он был импульсивный человек и мог неожиданно возбудиться. Ничего особенного не было. Обычно все заканчивалось достаточно быстро. Вы меня понимаете?

— Вполне. А с другими женщинами?

— Я уже сказала, что он любил женщин. — Она тряхнула головой. — Не могу поверить в смерть Милены. Это все так страшно. Почему именно с ней должна была произойти такая авария? Извините, я не хочу больше разговаривать. Мне нужно ехать в больницу.

— Они пригласили именно вас?

— Нет. Они сообщили, что сейчас пытаются выяснить, кто именно погиб, и предупредили, что через несколько часов попросят кого-то приехать на опознание. Но я все равно не смогу. Пусть наш вице-президент туда поедет. Я не могу смотреть на мертвых, тем более на мертвую подругу.

— Судя по тому, что он подарил ей машину и квартиру, они были особенно близки?

— Думаю, что да. Милена мне рассказывала обо всем. Он хотел развестись со своей злыдней и жениться на ней. Может, она и врала, а может, лгал он, когда обещал на ней жениться. Женатые мужчины часто врут в подобных обстоятельствах, готовы обещать все, что угодно, лишь бы не спугнуть свою молодую подругу.

— Он ее достаточно обеспечивал, чтобы не бояться, — возразил Дронго.

— Это другая психология, — возразила Наталья, — одно дело, когда вам платят за любовь — машинами, квартирами, бриллиантами. Конечно, вы цените такое отношение, но все равно получается, что вас покупают. И вы соответственно относитесь к мужчине как к богатому клиенту. Другое дело, когда он обещает на вас жениться. Тогда вы относитесь к нему как к самому дорогому и близкому человеку, уже независимо от вас. Мужчинам хочется, чтобы их по-настоящему любили.

— Откуда такой большой опыт в столь молодом возрасте? — поинтересовался Дронго.

— Успела пообщаться с представителями вашего пола. Вы тоже не пряник. Пришли сюда и ничего не сказали про смерть Милены. И вообще мужикам нельзя доверять. Это не женщины сволочи, а мужчины. Самые настоящие сволочи, которые готовы попользоваться женщиной и сразу ее бросить. Которые обещают и не выполняют. Скупердяи и жмоты. Давайте закончим, мне нужно сообщить о звонке господину Адамсу.

— Последний вопрос. Вы бывали в его доме?

— В Жуковке? Нет, конечно, не бывала. Его супруге не нравилось так далеко ездить, и он купил ей трехкомнатную квартиру на Ленинском проспекте в одном из новых домов. Но Милена говорила, что она была недовольна и этой квартирой.

— Почему?

— Откуда я знаю? Есть такие женщины, которые недовольны всегда и всеми. Видимо, Делером из их числа.

Наталья вышла в коридор, и было слышно, как отреагировал Адамс, когда она сообщила ему о смерти Милены. Появился Эдгар и спросил:

— Это уже точно она?

— Не знаю, — раздраженно ответил Дронго. — По-моему, этот следователь просто не умеет работать. Дергать людей, сообщать о подобных вещах, не проверив, кто именно погиб, как минимум неправильно. Нужно было приехать сюда и с утра беседовать с людьми, а не ждать в своем кабинете результатов разных экспертиз. Хотя звонили не из следственного комитета, а из полиции. Но он обязан был предусмотреть подобный звонок.

Тут вернулись Адамс и Наталья. Вице-президент был явно огорчен и все повторял:

— Какое несчастье, такая молодая женщина. Значит, это точно была она?

— Пока неизвестно, — ответил Дронго, — иначе они не стали бы звонить и сообщать о том, что необходимо опознать ее тело.

— Но ее телефон не отвечает, — вставила Наталья.

— Ни домашний, ни мобильный, — подтвердил Дронго. — Но именно поэтому я не убежден в ее смерти. Насчет домашнего — все понятно. Если ее нет дома, то телефон и не отвечает. А вот молчание мобильного мне абсолютно непонятно.

— Почему непонятно? Если она погибла, то никто и не отвечает, — удивился Адамс.

— Именно поэтому, — повторил эксперт. — Ведь мобильный телефон обычно носят с собой. Она не могла оставить его в машине или где-то в другом месте. А если она погибла, то первое, что должны сделать сотрудники полиции или следователь, это проверить ее мобильный телефон. Тем более невозможно, чтобы он так долго не отвечал.

— Может, ее сбила машина, и телефон разбился, — предположил Адамс.

— В этом случае он был бы отключен. А он исправно работает, но она не отвечает на наши звонки. Здесь что-то не сходится, — убежденно произнес Дронго, — и я совсем не уверен в том, что она погибла.

— Тогда почему она не отвечает на наши звонки? — спросила Наталья.

— Возможно, есть другие причины.

— Как вам не стыдно! — возмутилась она. — У меня погибла подруга, а вы изображаете из себя сыщика. Говорите разные глубокомысленные глупости, прекрасно зная, что она уже не сможет нам перезвонить.

— Наталья, — вмешался вице-президент, — я предлагаю вам несколько успокоиться и не допускать впредь подобных выражений.

— У меня погибла подруга, — напомнила она и отошла к своему столу.

— Извините, — вздохнул Адамс, — мы все оказались не готовы к подобному сообщению. Сначала непонятные события в доме Пурлиевых, потом эта авария, в которую попал наш президент. И теперь смерть Милены. Поневоле поверишь в какие-то игры дьявола, хотя я понимаю, что это просто ужасные совпадения.

— Таких совпадений не бывает, — возразил Дронго.

— Я вас не понимаю, — изумился Адамс, — вы верите в потусторонние силы?

— Нет. К сожалению, злая воля людей иногда бывает более опасной, чем все козни дьявола. Если Милена действительно погибла, то это не обычное совпадение, а преднамеренное убийство. Два убийства и одна авария с самим Пурлиевым — слишком невероятные совпадения для такого короткого промежутка времени.

— Он еще и рассуждает, — снова подала голос Наталья. — Неужели вы не видите, что это просто аферисты!

Очевидно, она не могла простить эксперту свою минутную слабость, когда под влиянием известия о смерти подруги призналась в связи со своим шефом. И теперь, испытывая сожаление от признания, хамила пришедшим, вымещая накопившиеся чувства.

Адамс хотел что-то ответить, когда раздался телефонный звонок. Наталья обернулась, посмотрела на номер звонившего и тихо вскрикнула.

— Этого не может быть, — почему-то шепотом произнесла она, показывая на телефон, который продолжал звонить. В ее глазах явственно читался испуг. — Я не могу, не могу ответить.

— Что случилось? — Адамс подошел ближе и взглянул на телефон. На нем высвечивалось имя абонента, который звонил. Там было написано большими буквами «МИЛА». Он перевел взгляд на гостей и сказал: — Может, вы правы, и это звонит кто-то из полиции, чтобы проверить ее телефон. В любом случае нужно ответить.

Он взял телефон и негромко произнес:

— Я вас слушаю. Да, Наталья здесь, рядом. Кто говорит? Что? Какая Мила? — Адамс ошеломленно посмотрел на собравшихся и растерянно проговорил: — Это Мила Виноградова, она сама позвонила. Спрашивает, где Наташа.

— Дайте мне телефон, — потребовала Наталья, выхватывая трубку. — Алло, Мила! Это ты?

— Конечно, я, — ответила подруга. — Что случилось? Кто мне отвечал? Мне показалось, что это был господин Адамс. Почему у него твой телефон?

— Где ты сейчас находишься? — быстро спросила Наталья.

— В парикмахерской, — ответила Виноградова, — я приехала сюда из больницы. Отключила звук на своем телефоне, пока со мной работал мастер. Я покрасилась и еще сделала маникюр. А сейчас посмотрела на свой телефон и увидела несколько пропущенных звонков, в том числе и твоих. Что случилось? Почему ты мне звонила?

— Она была в парикмахерской, — пояснила Наталья глухим голосом, — отключила звук, поэтому не слышала наших звонков.

— Господи, слава богу! — вырвалось у Адамса. — Я уже готов был предположить разные ужасы.

— Включите громкую связь на своем телефоне, — попросил Эдгар.

Наталья хотела возразить, но, посмотрев на Дронго, решила не спорить и выполнила просьбу, чтобы ее разговор слышали обступившие ее мужчины.

— Ты не была в больнице? — спросила она.

— Была. Но к нему в палату не пускают. Говорят, что пока он в реанимации в тяжелом состоянии. Бедный Ягмыр! Не понимаю, что с ним могло случиться. Он ведь так хорошо водит машину. Так обидно, мы как раз собирались с ним поехать на следующей неделе на уик-энд в Прагу. Алло, ты меня слышишь?

— Слышу, — мрачно ответила Наталья. — Тебя ищет полиция и следователь. Они уже звонили и к нам на работу.

— Почему? — удивилась Милена. — Что произошло?

— Рядом с больницей сбили какую-то женщину, — пояснила Наталья, — в полиции думали, что это ты. Ты приходила в это время в больницу и, видимо, там зарегистрировалась.

— Да. Они сказали, что следователь поручил им записывать всех, кто придет навещать Ягмыра. Я сказала, что приехала с его работы, и назвала свое имя и фамилию. Хотя я не хотела этого делать из-за Делером, но потом подумала, что следователь необязательно будет отчитываться перед ней. А они попросили мой паспорт, чтобы записать мои данные, и я им дала, чтобы Ягмыр узнал о моем приезде.

Ей нужно было подтвердить свою преданность попавшему в аварию другу. Это поняли Дронго с Вейдеманисом. Это поняла Наталья. Даже Адамс что-то понял и покачал головой. Конечно, Милене было необходимо там отметиться, чтобы потом рассказать Ягмыру, как именно она переживала. Правда, после того как ее не пустили в больницу, она спокойно поехала в парикмахерскую, краситься и делать себе новый маникюр. Очевидно, душевные страдания и переживания за своего друга не могли помешать ей выглядеть красиво.

— Где ты сейчас? — спросила Наталья.

— Еду домой. А господин Адамс рядом с тобой?

— Да, он здесь, в приемной.

— Скажи ему, что я очень плохо себя чувствую. И это правда. Когда я утром узнала о случившемся, я себе места не находила. У меня даже поднялась температура, и я вызвала врача.

— А потом отправилась в парикмахерскую, — негромко прокомментировал Адамс, — все понятно.

— Да, я ему передам, — пообещала не без злорадства Наталья, победно посмотрев на вице-президента. Ей было отчасти приятно, что он оказался свидетелем вранья подруги.

— Мне опять звонят, — сообщила Милена, — наверное, твой следователь. Незнакомый номер. Я потом тебе перезвоню. Пока! — и отключилась.

— Во всяком случае, она жива и здорова, — сказал Адамс, — надеюсь, что и наш шеф тоже выздоровеет.

— Она была в парикмахерской, — задумчиво произнесла Наталья. Она окончательно осознала, что допустила, возможно, самую большую ошибку в своей жизни, признавшись эксперту в своих отношениях с Пурлиевым, ведь Милена осталась жива и теперь может узнать об этом.

— У вас есть еще какие-то вопросы? — осведомился Адамс.

— Нет, — ответил Дронго, — спасибо за помощь. Я думаю, что мы можем идти.

Он кивнул на прощание вице-президенту и направился к выходу. Вейдеманис пошел следом.

— Подождите, — громко попросила Наталья, — подождите меня. — Догнав мужчин в коридоре, она обратилась к Дронго: — Извините меня, я была не в себе. Не понимаю, что на меня нашло. Обычно я так нагло себя не веду. Простите, пожалуйста. Просто все эти события обрушились на меня одно за другим. Сначала авария, потом известие о смерти Милы. Я просто сорвалась.

Дронго кивнул в ответ. Он хорошо понимал, почему она догнала его и извинялась. Оставшийся в приемной Адамс кому-то звонил.

— И еще, — торопливо добавила Наталья и посмотрела на Вейдеманиса: — Вы можете на минутку отойти?

— Конечно, — сказал Эдгар и направился к лифту.

— Я хотела вас попросить, — выдавила Наталья, — если, конечно, можно. Чтобы вы на меня не обижались.

— Обижаются горничные, — усмехнулся Дронго, — я могу оскорбиться. Но полагаю, что такая красивая женщина, как вы, не захочет меня намеренно оскорблять. Хотя «аферистом» меня еще никто не называл.

— Да, я не права, — снова призналась она, — это было очень глупо и некрасиво. Вы ведь понимаете мое состояние?

— Отчасти, — ответил Дронго.

— Я хотела вас попросить, чтобы вы никому не рассказывали о том... Вы меня понимаете... Я думала, что Милена умерла, погибла, поэтому вам призналась. А она, оказывается, жива... Она моя лучшая подруга, и я не хочу неприятностей. Очень вас прошу никому не рассказывать о моих отношениях с боссом. Я все наврала, сама не знаю почему. Просто взяла и придумала. Наверное, хотела быть такой же успешной, как и Милена. Вы обещаете?

Дронго прекрасно понимал, что именно сейчас она лжет. И понимал, что у нее действительно были отношения интимного характера с шефом, которые она предпочитала скрывать. Милена, устроившая Наталью на эту работу, даже не догадывалась, что ее подруга отчаянно завидует ее положению, машине, квартире и вниманию, которое Пурлиев оказывает молодой женщине. Она искренне полагала, что подобные преференции должны доставаться только ей — гораздо более молодой, красивой и умной женщине.

— Вы все-таки не захотели меня услышать, — заметил он. — Я — не обычный гость, я — эксперт-аналитик. И все, что узнаю в процессе расследования, я не выдаю остальным людям. Хотя бы потому, чтобы мне доверяли в будущем. Можете не беспокоиться, ваши секреты никто не узнает. Только позвольте дать вам один совет. Не пытайтесь отбивать поклонников у своих близких подруг, это всегда чревато большими скандалами. Подобного предательства женщины не прощают.

Она прикусила губу и ничего не ответила.

— И еще одно пожелание, — добавил Дронго, — лично для вас. Бросайте курить. Честное слово, гадкая и никому не нужная привычка. Тем более что вы дымите как паровоз. Это уже не модно и совсем не эстетично. До свидания.

Он повернулся и пошел по коридору, а Наталья вернулась в приемную. Адамс все еще с кем-то говорил по городскому телефону.

«Нужно будет навестить Ягмыра в больнице», — неожиданно подумала она. Там ведь записывают всех посетителей, вот пусть он и знает, что у него есть настоящий друг, который переживает за его состояние. А после больницы она поедет не в парикмахерскую, а в мечеть и даст денег на молитву за его здоровье. Причем расскажет об этом всем сотрудникам компании. Интересно, в мечети можно давать деньги и заказывать молитвы? Или все же поехать в церковь? В конце концов, она — православная и может попросить своего Бога. Да, лучше поехать в церковь и поставить свечку, иначе поездка в мечеть будет выглядеть неким перебором. Главное, чтобы Ягмыр узнал о том, как она к нему относится. И может, через год или два они с ним будут уже планировать поездку в Прагу на уик-энд, а она будет подъезжать к офису на гораздо более навороченном автомобиле.

Наталья хищно улыбнулась. В конце концов, годы работают на нее. Эта толстая корова Милена даже не понимает, как глупо поступила, отправившись в парикмахерскую. Нужно немедленно рассказать об этом всем сотрудникам — тогда и Ягмыр рано или поздно об этом узнает.

Глава 9

О́ни вышли из здания, усаживаясь в машину. Эдгар сел за руль и посмотрел на Дронго:

— Кажется, впервые в жизни у нас произошло нечто подобное, когда сообщение о смерти важного свидетеля оказалось ложным.

— Этот следователь — идиот, — кивнул Дронго, — не выяснив ситуацию до конца, сообщил о смерти подруги Пурлиева. И еще не сумел проконтролировать сотрудников полиции, которые умудрились позвонить в компанию, чтобы пригласить кого-то на опознание тела. Хотя, ради справедливости, стоит отметить, что его сообщение очень помогло мне разговорить Наталью. Ее ведь устроила на работу Милена, которая, к сожалению, не учла амбициозности своей молодой подруги. Наталья решила, что она больше достойна быть рядом с богатым боссом, и начала действовать в этом направлении. А узнав о гибели Милены, посчитала себя главной претенденткой на освободившееся место. Поэтому и попросила у меня прощения, умоляя никому не рассказывать о своей связи с Пурлиевым.

— Этот тип нравится мне все меньше и меньше, — признался Эдгар, — не люблю мерзавцев, которые используют свое служебное положение в отношении подчиненных дам.

— Вот здесь ты не прав, — возразил Дронго, — это дамочки ведут за него борьбу. Он их не насилует, не принуждает к сексу. Наоборот, они ведут за него ожесточенную войну, пытаясь стать главной фавориткой, прекрасно понимают, что значит быть главной подругой мультимиллионера. Хорошая квартира, дорогая машина, интересные поездки, ювелирные украшения — вы получаете все, что может дать богатый мужчина своей женщине. Поэтому Мила должна остерегаться. О ее сегодняшнем походе в парикмахерскую сразу после больницы уже сегодня узнает вся компания. Не сомневаюсь, что Наталья постарается. И тогда

Пурлиев может решить, что ему следует выбрать другую даму сердца.

— Куда поедем? — спросил Эдгар. — Мы хотели отправиться в «Прометей», но теперь, думаю, лучше сразу отправиться к Виноградовой.

— Конечно, — согласился Дронго, — если на нее никто не нападал и с ней ничего страшного не случилось, то «Прометей» может подождать. Поедем к этой особе. Ужасно интересно на нее посмотреть. Я взял адрес и ее телефоны. Нужно, чтобы она нас приняла. Она наверняка сейчас вернется домой. Хотя бы для того, чтобы подтвердить Адамсу, что действительно плохо себя чувствует. Ведь и врача она вызывала не потому, что заболела, а для того, чтобы подтвердить, как сильно переживала за Ягмыра. И она действительно переживала. Ее «гусыня», несущая золотые яйца и обеспечивающая ее всем необходимым, на которую она сделала свою главную ставку, чуть не погибла.

— А если она не захочет нас принять? — спросил Вейдеманис.

— Примет, — уверенно сказал Дронго. — Сейчас позвоню Наталье, чтобы убедила ее нас принять. Думаю, она приложит все силы.

Он набрал номер телефона Натальи, но он был занят. Дронго усмехнулся. Конечно, она сейчас рассказывает всем, где именно была ее подруга. Тогда набрал городской номер, и Наталья недовольно ответила:

— Вас слушают. Приемная господина Пурлиева.

— Здравствуйте, Наталья, еще раз, — начал Дронго, — извините, что снова вас беспокою. Понимаю, как вам не хочется меня слышать, но вы единственный человек, который может нам помочь.

— Что вам нужно?

— Мы собираемся навестить вашу подругу...

— Вы мне обещали, — гневно перебила Наталья.

— И я собираюсь выполнить свое обещание, — заверил ее Дронго. — Но именно потому, что Пурлиев попал в аварию, а его садовника действительно убили, нам необходимо встретиться с ней. Разумеется, мое слово остается в силе, и я даже намеком не выдам того, что вы мне сказали... — Он выждал секунды две, сделав паузу, и добавил: — Тем более что все оказалось неправдой.

— Да, — согласилась Наталья, оценив его слова, — это было все неправдой. Когда вы хотите к ней поехать?

— Прямо сейчас. Скажите, что речь идет о безопасности господина Пурлиева. Она должна понимать, что просто обязана нам помочь.

Чтобы она не волновалась, я поднимусь к ней один. Алло, вы меня слышите?

— Слышу. Я все поняла. Сейчас перезвоню ей. Только поднимитесь один, двоих посторонних мужчин она к себе не пустит, — и Наталья отключилась.

— Думаешь, уговорит? — спросил Вейдеманис.

— Обязательно уговорит, — ответил Дронго, — у нее просто нет другого выхода.

— И все-таки непонятно, что именно там произошло, — задумчиво проговорил Эдгар, — неужели садовник сам отравился? И эта авария, последовавшая почти сразу за его смертью...

— Это мы с тобой и пытаемся выяснить, — напомнил Дронго. — И нам очень повезло, что машина сбила не Виноградову. Иначе все запуталось бы так сильно, что мы ни в чем не смогли бы разобраться. Во всяком случае, смерть Милены укладывалась совсем в иные рамки моих представлений об этих событиях.

Раздался телефонный звонок. Это была Наталья.

— Она вас ждет, но не забудьте о том, что вы мне обещали. Ни одним словом, ни одним намеком.

— Мы договорились, так что можете не беспокоиться. Спасибо за вашу помощь. — Дронго попрощался и повернулся к Эдгару: — Меня ждут, давай быстрее.

— Быстрее не получится, — возразил тот, — но минут за сорок пять постараемся доехать.

Примерно через час Дронго уже набирал номер квартиры Милены Виноградовой на панели домофона. Услышав ее голос, пояснил, что он приехал для беседы из компании от Натальи.

— Она мне звонила, — подтвердила Милена, — можете проходить, я сейчас открою дверь.

Эксперт поднялся на девятый этаж и позвонил в ее квартиру. Дверь открыла молодая красивая женщина. Дородная блондинка, с крупными чертами лица, большими глазами, ровным носом, роскошными волосами. Очевидно, она была шатенкой, но красилась под блондинку. Она успела нанести на лицо тональный крем, но возраст скрыть было невозможно. Виноградова была одета в белое длинное платье с короткими рукавами. Будучи небольшого роста, она надела обувь с высокими каблуками.

— Добрый день, — кивнул гость, — меня обычно называют Дронго. Я — эксперт по расследованию тяжких преступлений.

Она протянула белую ладошку, и он галантно поцеловал ей руку. Прошел в большую гостиную, обставленную вазочками, статуэтками, разными сувенирами. Очевидно, хозяйка была еще и сентиментальна. Мила шла следом за ним.

— Чем вы душитесь, — спросила она, — от вас так приятно пахнет?

Он назвал свой любимый французский парфюм, которым пользовался уже больше двадцати лет.

— Я так и думала, настоящий мужской аромат. Садитесь в кресло или на диван, как вам будет удобно.

— Спасибо. — Дронго выбрал кресло.

Хозяйка уселась на диван, весело глядя на гостя. У нее было, очевидно, хорошее настроение, несмотря на то что ее друг Пурлиев в больнице. В конце концов, жизнь продолжалась, а на уик-энд они могут отправиться и после его выздоровления.

— Я думала, что явится такой плюгавый, небритый, заросший, дурно пахнущий тип с всклокоченными немытыми волосами и в мятом костюме, а появился элегантный мужчина в хорошем костюме, дорогом галстуке, от которого так приятно пахнет. Кстати, я сразу обратила внимание на вашу обувь. Можно узнать, какая это фирма?

— Известная швейцарская фирма, — ответил Дронго, — я люблю именно эту марку и ношу их обувь и ремни уже много лет, — и назвал фирму.

— Восхитительно! — воскликнула Мила. — Вы просто ходячая реклама брендов. Галстук, наверное, итальянский? Это Стефано Риччи или Леонардо?

— Бриони, — улыбнулся эксперт, — приятно видеть такого знатока мужских галстуков.

— Я обычно покупаю своему другу дорогие галстуки или запонки, поэтому разбираюсь в подобных аксессуарах. Итак, какое у вас ко мне дело?

— Оно связано с господином Пурлиевым.

— Это я уже знаю. Хотя не понимаю, чем именно могу вам помочь. Если вы расследуете вчерашнюю аварию, то меня там не было, и я ничего не могу вам сказать.

— Вчера в Жуковке неожиданно погиб их садовник.

— Я слышала. Бахром. Он был неплохим человеком. Наверное, что-то съел или выпил. Сейчас столько контрафактной продукции, не знаешь, кому доверять. А он, видимо, покупал самые дешевые продукты или водку. Вот и отравился.

— Не думаю, что он пил водку. Он был мусульманин.

— А разве мусульмане не пьют водку? — весело рассмеялась Милена. — Это интернациональный напиток, его любят везде. Хотя я ни на чем не настаиваю. Может, он отравился своим айраном или кумысом.

— Вы его лично знали?

— Видела несколько раз, когда приезжала в Жуковку, — ответила Мила.

— Вы бывали в доме Пурлиева в Жуковке? — сразу уточнил Дронго.

— Только один раз, — быстро поправилась Виноградова, осознавая, что допустила грубую ошибку.

— И супруга Пурлиева была там?

— Не помню. Может, и была, — недовольно ответила она, и улыбка спала с ее лица.

— Сколько раз вы там были? — настойчиво повторил Дронго. — Только, прежде чем ответить, выслушайте меня. Я приехал сюда не просто так. У нас есть подозрение, что авария Пурлиева была подстроена и убийство садовника как-то связано с этим событием. Поэтому постарайтесь успокоиться и не лгать мне. Я не передам ваши слова его супруге. И приехал сюда не для того, чтобы разбирать семейные коллизии Пурлиевых. Я знаю о вашей дружбе с ним и не собираюсь в это вмешиваться.

— Да, мы с ним близкие друзья, — подтвердила Мила.

— Настолько близкие, что он даже хочет на вас жениться?

— И это тоже правда, — гордо произнесла хозяйка, — не вижу смысла скрывать. Как только он поправится, мы объявим о наших отношениях, и он сразу подаст на развод, хотя его жена всячески возражает против этого. Ну ничего, недолго осталось.

— В каком смысле? — поинтересовался Дронго. — Почему недолго осталось?

— По российским законам, — торжествующе пояснила Милена, — его дочери скоро восемнадцать лет. Если есть совершеннолетние дети и нет имущественных претензий, можно разводиться без суда. Это мне рассказал мой знакомый адвокат. И Ягмыр тоже говорил. Теперь от его супруги ничего не зависит. Он уже купил ей квартиру, чтобы она убралась из Жуковки.

— Ваш адвокат ошибается, — пояснил Дронго, — через загс действительно разводятся при достижении детьми восемнадцати лет, но только в том случае, если оба супруга согласны и если действительно нет никаких имущественных претензий. А госпожа Пурлиева прожила со своим мужем два десятка лет, поэтому вполне может претендовать на половину Жуковки и на половину всего состояния господина Пурлиева. Как раз по российским законам.

— Вы это точно знаете? — нахмурившись, спросила Мила.

— Абсолютно. Я юрист по профессии, — ответил Дронго. — Но давайте оставим решение этого спора самому Ягмыру Пурлиеву. Он может найти хороших адвокатов и договориться со своей супругой, когда подаст на развод.

Она счастливо улыбнулась. Последние слова гостя ей особенно понравились.

— Значит, вы там бывали несколько раз? — поймав этот счастливый момент, снова спросил эксперт.

— Когда там не было Делером, — призналась Мила. — Она часто уезжала в Крым, и тогда я навещала Ягмыра.

— И вы знали всех, кто там живет?

— Он отпускал свою кухарку, чтобы она не видела меня и не рассказала потом Делером. Но его водитель Женя и садовник Бахром меня там видели.

— И он не боялся, что они его выдадут?

— Нет, не боялся. Перед кухаркой ему просто было неудобно. Я думаю, что она тоже знала об отношениях в семье.

— Простите? Я вас не совсем понимаю.

— Он мне сам об этом рассказывал. У них и раньше были конфликты, когда они жили в Ашхабаде. А когда он вынужден был сбежать оттуда, чтобы спасти себя и свою семью, его жена начала проявлять характер. Ей все не нравилось. И Жуковка, где они купили дом и поселились среди самых богатых людей, и его новая компания, и его работа, и то, что он поддерживает туркменскую оппозицию, как настоящий патриот своей страны. В общем, у них часто случались скандалы. Он мне признался, что в последние годы спал с ней один раз в месяц или еще реже. А последние три года они вообще жили как родственники. Можете себе представить? Три года рядом с женщиной, и никаких отношений. С ума можно сойти! А он ведь горячий южный мужчина, ему постоянно нужны женщины. У них даже спальни разные. Когда они ездили куда-то отдыхать, то он снимал два номера. В одном жила супруга с дочерью, а в другом он сам. Делером говорила, что не может оставлять ребенка одного, хотя на самом деле было понятно, что они просто не хотят оставаться вместе в одном номере.

— Он говорил, что его объявили в розыск и он не может выезжать за границу, — заметил Дронго.

— Сейчас он уже российский гражданин, — напомнила Мила, — но они часто выезжали на Украину, ездили в Санкт-Петербург, на Дальний Восток, в Киев. Правда, это было еще до того, как они окончательно рассорились. И вот уже три года его фактическая супруга это я, а не Делером. Но формально она остается его женой. Ведь Ягмыр ждал, когда дочери исполнится восемнадцать, чтобы спокойно развестись.

— Это он вам так говорил?

— Конечно. И я ему верила. Видела, какая дрянь его жена. Он добрый человек и не хотел скандалов из-за дочери.

— А вы не боитесь, что он может увлечься другими женщинами? С его возможностями...

— Нет, не боюсь, — улыбнулась Мила. — Я сделала умнее, посадила свою лучшую подругу ему в секретари и теперь знаю обо всех его связях, обо всех звонках. Поэтому я уверена, что он никогда и ни с кем меня не обманет.

Она даже не могла предположить, что ее лучшая подруга завидует ей гораздо больше всех остальных и готова в любой момент подставить ей ножку, чтобы занять ее место.

— Вы умная женщина, — с некоторым сожалением произнес Дронго. — Значит, вы с Ягмыром Пурлиевым дружите уже несколько лет?

— Да. Можно сказать и так. Не просто дружим, а самые близкие друг другу люди, — поправила его Мила.

— Вы не обращали внимания, как в последнее время вел себя ваш друг? Нервничал или переживал?

— Конечно, обращала. Ему все время казалось, что за ним следят. И за нами действительно следили. Спросите его водителя Женю, он все видел. Ягмыр — настоящий патриот своей страны, — повторила Мила, — а правящему режиму в Ашхабаде не нравятся такие люди, поэтому неудивительно, что за ним все время следили. Он даже носил оружие, получил официальное разрешение на пистолет и ружья, которые висели у него в Жуковке. Я даже советовала ему взять телохранителей, но он говорил, что никому не доверяет, а телохранителей можно легко подкупить и узнать, где лучше устроить засаду.

— Вы были знакомы с его бывшим компаньоном?

— С Долгушкиным? Нет, но много о нем слышала.

— Что именно?

— Ягмыр злился на него, что он создал конкурирующую компанию и взял группу молодых ребят, которым много платил. Этот Долгушкин раньше работал в нашей компании вице-президентом, но все говорят, что он практически ничего не делал. Всю работу вел один Ягмыр, которому надоел этот бездельник.

— Когда вы узнали о том, что Пурлиев попал в аварию?

— Еще вчера вечером.

— И не поехали сразу в больницу?

— Конечно, поехала. Но там были Делером и их дочь. Ягмыр всегда просил меня не посвящать в наши отношения его дочь, он ее по-настоящему любил. Поэтому я сразу уехала и вернулась утром, когда их уже не было. Но меня к нему не пустили, попросили показать свои документы. Я показала паспорт, объяснила, что приехала из его компании, но меня все равно не пустили. Сказали, что он в реанимации, в коме. Я пыталась позвонить на его телефон, но после второго звонка мне несколько раз упрямо давали отбой. Я поняла, что это Делером. Может, он даже в сознании, но она к нему никого не пускает. Дурочка! Думает, что таким образом сможет вернуть мужа. Какая глупость! Он все равно к ней никогда не вернется.

Она не успела договорить, когда в дверь позвонили. Не в домофон, который был внизу, а именно в дверь. Дронго взглянул на женщину и спросил:

— Вы кого-нибудь ждете?

— Нет, — удивилась Мила, — не понимаю, кто это может быть.

Она поднялась с дивана, пошла к дверям и посмотрела в глазок. Там стояли участковый в форме, которого она знала в лицо, и неизвестный мужчина в штатском.

— Здравствуйте, госпожа Виноградова, — вежливо поздоровался участковый, — майор Хабибулин, вы, наверное, меня узнали.

— Да, — кивнула Мила, — поэтому и открыла дверь. Что вам угодно?

— Это следователь Мельников, — представил участковый мужчину в штатском, — ему нужно срочно с вами переговорить.

— Странно, — пожала плечами Милена, — у меня уже сидит один следователь.

— Какой следователь? — нахмурился Мельников и удивленно посмотрел на участкового: — Разве мы кого-то посылали?

— Сейчас проверим. Извините. — Участковый достал табельное оружие, и Милена испуганно охнула.

Они прошло в гостиную, Дронго продолжал сидеть в кресле.

— Кто вы такой, — строго спросил участковый, — и что вы здесь делаете? Покажите ваши документы.

— Уберите ваше оружие, — приказал Мельников. — Добрый день, господин эксперт, похоже, я обречен идти по вашим следам. Что вы здесь делаете?

Дронго поднялся, но руки следователю не подал.

— То же, что и вы. Пытаюсь понять, что именно вчера произошло в Жуковке.

— Думаете опередить меня, — усмехнулся Мельников. — В таком случае я сообщу вам сведения, которых вы не знаете и не могли узнать. Надеюсь, что после этого вы поймете всю бесполезность и беспомощность ваших поисков. Сейчас время научно-технического прогресса, а времена гениальных сыщиков-одиночек закончились еще в конце девятнадцатого века. Я получил заключение технической экспертизы, — торжествующе произнес он. — Это была не обычная авария на скользкой дороге, кто-то намеренно вывел из строя тормозную систему машины Пурлиева. Все сделано было с таким расчетом, чтобы машина перевернулась именно на повороте. Надеюсь, теперь вы понимаете, что вам лучше оставить это дело профессионалам?

Глава 10

Cледователь оглянулся на ничего не понимающего участкового. Тот убрал оружие в кобуру и посмотрел на Мельникова, ожидая других распоряжений. Мила вообще ничего не понимала.

— Кажется, я здесь уже лишний, — сказал Дронго.

— Именно это я и хотел вам объяснить, — сказал Мельников. — Уже понятно, что авария была подстроена, возможно, политическими противниками господина Пурлиева. К сожалению, он все еще в коме, но, как только придет в себя, мы его сразу допросим. Но хочу предупредить вас, что по моему распоряжению в больнице установлена охрана пострадавшего, никого не пускают. А те, кто появится, чтобы узнать о здоровье Пурлиева, должны будут предъявить свои документы. Поэтому в любом случае вам не удастся допросить его раньше меня. Надеюсь, вы не будете пытаться влезть через окно. Особенно если учесть, что оно выходит во внутренний двор.

— Не волнуйтесь, без вашего разрешения не полезу, — пообещал Дронго, стараясь сохранять серьезность, и вышел из комнаты, мягко закрыв за собой дверь.

— Все-таки кто он такой? — спросила Мила. — Если вы следователь, то он кто?

— Частный детектив, — ответил Мельников. — Он провел в молодости несколько удачных дел и с тех пор считает себя современным Шерлоком Холмсом. Верит, что все преступления можно раскрыть благодаря интуиции, наблюдательности и правильному анализу, и не понимает, что сегодня для раскрытия преступлений нужно использовать науку, работать в команде и иметь целую группу экспертов.

— Насчет машины вы действительно сказали правду? Неужели кто-то нарочно испортил автомобиль Ягмыра?

— Это правда, — подтвердил следователь. — У нас есть акт технической экспертизы, кто-то специально покопался в ней. Сейчас мы проверяем, что еще там могли испортить.

Дронго спустился вниз, вышел на улицу и пошел к машине, где его ждал Вейдеманис.

— Что-то случилось? — спросил Эдгар.

— Приехал следователь Мельников с участковым. Они меня чуть не пристрелили, решили, что я подставной сыщик.

— Поэтому ты вышел такой расстроенный? — не поверил Вейдеманис.

— Все гораздо хуже, — ответил Дронго, — дело в том, что авария с Пурлиевым была подстроена. Уже получен акт технической экспертизы, машину Пурлиева намеренно испортили.

— Два убийства подряд, — понял Эдгар, — значит, ты правильно чувствовал, что все не так просто. Садовник отравился не случайно, Пурлиев тоже не случайно попал в аварию.

— Поехали в «Прометей», — предложил Дронго. — Вся эта история становится все хуже и хуже с каждым часом. Мила Виноградова рассказала мне много ннтересного. Они собирались объявить о женитьбе, Пурлиев уже несколько лет фактически не живет со своей супругой.

— Так говорят многие мужья, когда встречаются с молодыми женщинами, — заметил Эдгар.

— Там все гораздо сложнее, — возразил Дронго, — он действительно купил трехкомнатную квартиру своей супруге. У них, видимо, и правда не очень нормальные отношения. Ты же видел, как они общались и как он хотел избежать любым способом нашей встречи с его супругой. И еще одна любопытная маленькая деталь. У его жены «шестерка» «Ауди», а своей любовнице он купил внедорожник «Ауди». Вот такое решение, чтобы сделать больнее своей супруге, которая рано или поздно об этом узнает, если уже не знает. Поэтому я думаю, что Виноградова права. Возможно, он действительно хотел развестись со своей супругой. Но кто и почему убил их садовника? И почему решил устранить самого Пурлиева?

— Тогда получается, что главный подозреваемый — Делером Пурлиева, — предположил Вейдеманис, — но ее не было в доме, когда отравили Бахрома, только Пурлиев и их кухарка.

— Ты считаешь, что она может так хорошо разбираться в машинах, чтобы испортить автомобиль своего мужа? — мрачно проговорил Дронго. — Насколько я помню, она врач по профессии, а никак не автомобильный механик.

— Это я тоже помню, — согласился Эдгар, заводя машину. — Тогда остается версия о возможной причастности спецслужб. Скорее всего, они решили убрать Пурлиева, а Бахром был всего лишь свидетелем, который случайно узнал о готовящемся преступлении.

— И как тогда мы будем искать возможных убийц, если это сотрудники туркменских спецслужб? — поинтересовался Дронго. — Ты вообще веришь, что туркменские «пинкертоны» могут так нагло орудовать в Москве? Никогда в жизни в это не поверю. Дело не в том, что там нет профессионалов, просто я не верю, что там работают такие кретины, которые осмелятся приехать в Москву и попытаться убрать кого-то из оппозиции. Уровень российских спецслужб, несмотря на все потери и реорганизации последних лет, достаточно высокий, они быстро вычислят своих туркменских коллег, и тогда будет грандиозный скандал. Отвечать придется лично Бердымухаммедову. Поэтому я почти на сто процентов убежден, что умный и осторожный Бердымухаммедов не допустит этого. Портить свои отношения с Москвой из-за одного бывшего чиновника, который сумел сбежать, украв несколько десятков миллионов долларов? Зачем? Для чего? Лишив его будущих доходов, он наказал Пурлиева гораздо сильнее. Для таких чиновников, как Ягмыр Пурлиев, самое страшное наказание — это отлучение от власти, от больших денег. Имея миллион, они хотят сто, имея сто, хотят миллиарды. Имея миллиард, задумываются о своем политическом будущем, считая, что могут бросить вызов самому правителю.

— Тогда непонятно, кто и зачем пытался убить Пурлиева. Может, его бывший компаньон Долгушкин? — предположил Эдгар.

— Пока у нас несколько версий, — сказал Дронго, — политическая, которая кажется нам недостаточно убедительной, бытовая, которая практически очень сложно осуществима, и третья — бывший компаньон, которого он фактически выставил на улицу. Как вариант мести, возможно. Но тогда Долгушкин просто граф Монте-Кристо. Хотя и эту версию нельзя исключить. Какая еще?

— Четвертая версия — личные враги. Возможно, они у Пурлиева имеются.

— А зачем убивать садовника? В Жуковке неплохая охрана, они бы заметили чужого. Выходит, это свои. Тогда кто и зачем? Какие личные враги могли устранить садовника? И почему такая изощренность в попытке устранения самого Пурлиева? Не легче было его просто убить, наняв киллера? Учитывая и то обстоятельство, что у него не было телохранителей. Вот еще один интересный момент.

Он отказывался от телохранителей, хотя пришел к нам за помощью. Почему? Ведь он был достаточно богатым человеком, чтобы содержать целый штат личных охранников. Но он этого не делал. Виноградова утверждает, что он боялся предательства с их стороны. В такое верится с трудом. Скорее он не хотел, чтобы кто-то знал о его истинных передвижениях и планах. Он даже отправлял кухарку из дома в те дни, когда в Жуковку приезжала Мила.

— Она приезжала в Жуковку? — удивился Вейдеманис. — Вот сукин сын! Принимал любовницу в семейной спальне.

— Он сукин сын, но любовницу принимал в своей спальне, — возразил Дронго, — у каждого из супругов была отдельная спальня. Такая вот восточная целомудренность.

— Ну да. Особенно ты у нас восточный человек, — пошутил Эдгар, — живете с Джил не на две спальни, а на два разных дома в разных городах мира.

Дронго промолчал, и Вейдеманис смутился:

— Извини, кажется, я глупо пошутил. Я ведь понимаю, что ты нарочно держишь их там, чтобы быть абсолютно независимым и никто бы не мог тебя шантажировать или запугать.

— Сейчас я расскажу тебе одну историю, — задумчиво произнес Дронго, — о которой никогда и никому не рассказывал. Семья моего двоюродного брата жила в Баку, а его сын учился в престижном лицее, когда директор предложил перевести мальчика из третьего класса в пятый, так как ребенок слишком выделялся на фоне своих одноклассников. Мальчик блестяще сдал всю программу за четвертый класс, получив семь пятерок. Отец устроил банкет и собрал всех родственников, гордясь своим сыном. Все поздравляли и хвалили его. А в сентябре, когда он должен был пойти в пятый класс, за день до начала занятий к ним домой приехал испуганный директор лицея и сказал, что они вовремя не заплатили за мальчика, которого перевели из третьего сразу в пятый класс. Всем казалось, что за ребенка, который получил семь пятерок, можно не волноваться, но министерство образования требовало деньги за каждого переведенного таким образом ученика, независимо от его оценок. Сумма была небольшой, кажется, четыреста или пятьсот долларов, но платить нужно было за каждого. И самое страшное, что, не разрешив перевести мальчика в пятый класс, министерство приказало... оставить его на второй год в третьем, так как он не сдал экзамены за третий, а сразу сдавал за четвертый класс. Понимаешь, что получалось? В июне они поздравляли сына с переходом в пятый класс, а в сентябре отличника должны были отправить как второгодника снова в третий класс. Я не знаю, какие сердца и мозги были у этих чиновников. Мой брат забрал мальчика из школы и уехал с ним в Европу. На этом образование его сына в родной стране закончилось раз и навсегда. Сейчас этот парень оканчивает Гарвард. Смешная история? Брат признался мне, что никогда не чувствовал такого бессилия, как перед этим бюрократическим произволом чиновников. А мне вот не хочется зависеть от произвола подобных людей. И тем более не хочется подставлять свою семью, когда я провожу свои расследования. При желании можно легко узнать, где именно я живу в Москве, и проследить, куда ездят мои дети, тогда я должен буду тратить все свое время, силы и деньги на защиту своей семьи. А это слишком опасное и нерациональное занятие.

— Забавная история, — сквозь зубы проговорил Вейдеманис. — Мы уже приехали. Только здесь нельзя парковаться, давай немного отъедем и посмотрим, где можно оставить машину.

Через несколько минут, припарковавшись, они отправились к зданию, на котором висела табличка «Частная охранная фирма «Прометей». Дежуривший в вестибюле охранник строго посмотрел на гостей:

— К кому вы идете?

— Мы хотим переговорить с руководством фирмы, — пояснил Дронго.

— По какому вопросу? — спросил охранник. Это был пожилой человек лет шестидесяти, очевидно, бывший сотрудник полиции.

— Хотим сделать заказ, — сказал Дронго.

— Тогда к Мовсесяну Арменаку Тиграновичу. Можете пройти по коридору до конца. Там его кабинет. Номер четырнадцать. Давайте ваши документы, я отмечу.

Вейдеманис протянул свой паспорт. Переписав его фамилию в журнал, охранник разрешил им пройти. В конце коридора они нашли четырнадцатый кабинет и постучались в дверь.

— Входите, — раздалось в ответ.

Хозяином кабинета был мужчина лет сорока пяти, среднего роста, с копной уже седеющих волос, зачесанных назад, с крупными чертами лица, большими выразительными глазами и немного мясистыми щеками. Он был одет в темную водолазку и темный костюм.

— Мовсесян, — пожал он руки вошедшим. — С кем имею честь?

Дронго назвал свою фамилию и фамилию своего друга.

— Садитесь, — пригласил Мовсесян, — я вас слушаю. По какому вопросу вы пришли?

— Дело в том, что мы приехали по просьбе нашего клиента, — пояснил Дронго. — Господин Вейдеманис — представитель небольшой частной фирмы. Конечно, не такой, как ваша, но у них есть лицензия и разрешение на работу.

— Вы можете их показать? — спросил Арменак Тигранович. У него был характерный армянский акцент, но по-русски он говорил достаточно чисто.

Вейдеманис показал лицензию и разрешение на работу в Москве.

— Очень хорошо, значит, мы коллеги. Чем я могу вам помочь? — сказал Мовсесян, возвращая документы.

— Мы приехали по просьбе нашего клиента, — повторил Дронго. — Это господин Ягмыр Пурлиев. Он видный российский бизнесмен, руководитель крупной компании. Недавно по его просьбе мы проводили проверку его безопасности и выяснили, что сотрудники вашего агентства следили за автомобилем господина Пурлиева. Естественно, это вызвало недовольство нашего клиента, но, прежде чем обратиться в суд, он решил послать нас, чтобы во всем разобраться.

— И у вас есть номер и марка этого автомобиля? — быстро спросил Арменак Тигранович.

— Конечно, есть. — Дронго назвал марку автомобиля, его номер и предложил: — Можете проверить по своей картотеке.

— Не буду проверять, — ответил Мовсесян, — это наша машина, и вы об этом прекрасно знаете, иначе не пришли бы к нам. Но теперь я понимаю, что вы хоть и небольшое агентство, но с большими связями. Узнать по номеру, кому принадлежит машина, можно только через систему Госавтоинспекции. У вас хорошие связи, господа.

— Вы не отрицаете, что это ваша машина?

— Конечно, не отрицаю.

— И ваши люди следили за нашим клиентом?

— Возможно. Но я должен все проверить.

— Сколько вам понадобится времени?

— Несколько дней.

— Господин Мовсесян, — укоризненно заметил Дронго, покачав головой, — это несерьезно. Вам достаточно поднять трубку, и в течение минуты вы будете все знать, тем более если это ваша машина. Для этого не нужно несколько дней.

Они улыбнулись друг другу.

— Где вы раньше работали? — спросил Арменак Тигранович. — Мне кажется, что мы из одной конторы.

— Я был экспертом Интерпола, — ответил Дронго.

— Примерно так я и подумал, — кивнул Мовсесян, — а я работал в ГРУ. Дослужился до майора спецназа, пока не потерял ногу. — Он показал на левую ногу, там, очевидно, был протез. — Вот тогда меня и списали.

— Значит, мы понимаем друг друга. А мой друг служил в Первом Главном управлении КГБ СССР. Выходит, вы действительно прямые коллеги.

— Тогда конечно. — Мовсесян поднял трубку, попросил вызвать к себе Тишкова и принести все документы по работе машины с номером, который ему назвал гость. — Сейчас выясним, — сказал он. — А вы сами откуда? Хотя вы говорите чисто по-русски, скорее всего, вы с Кавказа. Азербайджан или Дагестан?

— Из Баку, — ответил Дронго.

— Я тоже из Баку, — сообщил Мовсесян, — только мы уехали оттуда в восемьдесят пятом, как раз за три года до начала карабахских событий. Ну, а потом... вы все знаете. Началась война. Азербайджанцы сбежали из Армении, армяне сбежали из Азербайджана, и все продолжается уже двадцать пять лет, несмотря на перемирия, конца этому не видно.

— Если так пойдет и дальше, то наши народы успешно побьют рекорды англичан и французов, воевавших друг с другом больше ста

165

лет, — заметил Дронго. — Непохоже, что в ближайшем будущем мы сможем договориться.

— Я ведь в Чечне ногу потерял, — вздохнул Мовсесян, — мне тогда было только тридцать четыре года. Из моей группы в шесть человек в живых остались только двое, я и самый молодой наш парень, который чудом выжил. И кому нужны были все эти войны и разрушение Союза?

— Многим, — ответил Дронго, — вы видите их лица и портреты каждый день по телевизору и в газетах. Это самые богатые люди России, Армении, Азербайджана. В прежних условиях они не имели шансов на такие миллиардные состояния, а теперь благодаря развалу большой страны оказались в нужное время и в нужном месте. Для них развал страны был просто манной небесной, поэтому они самые большие «патриоты» и самые большие либералы. Эти люди не ностальгируют по прошлому, их более чем устраивает сегодняшний день.

Вошел молодой человек лет двадцати пяти и, вытянувшись по-военному, доложил, что принес документы.

— Садись, Тишков, — разрешил Арменак Тигранович, взял журнал и начал смотреть записи. Затем поднял голову: — Все верно, мы следили за вашим клиентом в течение девяти дней, с девятого по восемнадцатое число прошлого месяца. Мы прикрепили две машины, вторую он, очевидно, не заметил, затем наблюдение сняли.

— Был заказ? — понял Дронго.

— Да. Это был оплаченный заказ, — подтвердил Мовсесян.

— И вы, конечно, не скажете, кто именно был заказчиком.

— Не скажу, — развел руками Арменак Тигранович, — у нас тоже есть лицензия, и мы бережем свою репутацию. Я не имею права этого говорить. Достаточно и того, что я вам сообщил. Это был конкретный заказ. В течение девяти дней две наши машины следили за передвижениями господина Пурлиева. Полный отчет был представлен нашему заказчику, который исправно все оплатил.

— Результаты наблюдения вы тоже не сообщите, — понял Дронго.

— Конечно нет, — улыбнулся Мовсесян, — приятно иметь дело с умным человеком. Мы наблюдали за господином Пурлиевым, потом предоставили подробный отчет заказчику, вот и вся наша работа. Если господин Пурлиев считает, что это было незаконное вторжение в его личную жизнь, он, безусловно, может подать в суд. И если суд вынесет решение, мы ему подчинимся, назовем вам имя заказчика и выдадим подробную информацию о наших наблюдениях. Но без решения суда я не имею права вам ничего сообщать. Это уже наша корпоративная этика. Даже несмотря на то, что мы бывшие коллеги. Спасибо, Тишков, ты можешь идти. — Он вернул журнал молодому человеку, который сразу поднялся, забрал журнал и вышел, добавив: — Очень сожалею, что вынужден отказать бывшему земляку и почти коллегам. Но таковы правила.

— Мы все понимаем, — кивнул Дронго. — Спасибо за информацию. Я думаю, что мы посоветуемся с господином Пурлиевым и решим, как именно нам следует поступить. Хотя не скрою, что, возможно, завтра или послезавтра вам все-таки придется сообщить вашу информацию сотрудникам следственного комитета.

— Почему вы в этом уверены? Я же сказал, что без решения суда мы не имеем права открывать нашу информацию. Только в том случае, если будет решение суда или будет возбуждено уголовное дело.

— Следствие уже началось, — сообщил Дронго. — Сразу после ваших наблюдений кто-то убил одного из работников семьи Пурлиевых, а затем намеренно испортил машину хозяина дома. Автомобиль перевернулся на трассе, сам Пурлиев едва не погиб. Он сейчас в больнице в тяжелом состоянии. Экспертиза доказала, что автомобиль намеренно испортили. Следователь уже ищет виноватых. Уверен, что скоро он появится в вашем агентстве, и вам придется ознакомить его с вашими закрытыми материалами. Спасибо, господин Мовсесян, за радушный прием. Разрешите нам уйти.

Арменак Тигранович задумчиво посмотрел на обоих гостей и неожиданно попросил:

— Оставьте ваш номер телефона, я должен проверить вашу информацию и уточнить некоторые детали, посоветовавшись со своим руководством.

Вейдеманис протянул ему карточку с номерами своих телефонов.

— До свидания, — сказал Мовсесян, пытаясь подняться.

— Не вставайте, — попросил Эдгар, пожимая ему руку.

— До свидания, — добавил Дронго, тоже пожимая руку хозяину кабинета.

Он все-таки поднялся и стоя проводил их. Когда они вышли, Мовсесян задумчиво перебрал лежавшие на его столе бумаги и снова позвонил Тишкову:

— Зайди ко мне еще раз. И принеси отчет по наблюдению за Пурлиевым.

Глава 11

Когда они снова оказались в салоне автомобиля, Эдгар взглянул на Дронго и спросил:

— Что ты об этом думаешь?

— В любом случае это не туркменский спецназ, — усмехнулся Дронго. — Какой-то конкретный человек заплатил деньги, чтобы проследить за Пурлиевым, причем интересно, что его волновали именно девять дней, не восемь, не десять, а девять. Нужно уточнить у Адамса, что именно должно было произойти в эти девять дней.

Он достал телефон и набрал номер вице-президента компании. Услышав его голос, спросил:

— Еще раз добрый день, господин Адамс. У меня только один вопрос.

— Я вас слушаю.

— Что именно происходило в вашей компании с девятого по восемнадцатое число прошлого месяца? Вы можете вспомнить?

— Сейчас точно не помню. Подождите минуту, я посмотрю в своем календаре. — Через пару минут вице-президент ответил: — Да, все правильно, мы приняли программу по привлечению инвестиций в нашу компанию. Должна была приехать английская компания, инвесторы из Великобритании.

— Большая сумма? — уточнил Дронго.

— Речь шла о сумме в пять миллионов, — вспомнил Адамс. — Мы принимали их с двенадцатого по шестнадцатое. А семнадцатого должны были подписать документы. Но они неожиданно попросили отложить подписание документов еще на один день, а восемнадцатого прервали переговоры и срочно улетели в Лондон. Мы тогда так и не поняли, что именно произошло. Но двадцать шестого они подписали предварительный инвестиционный договор с новой компанией Долгушкина. Я помню, как тогда ругался Ягмыр. Он считал, что Дмитрий Павлович нарочно сорвал наше подписание и переманил англичан, получив всю коммерческую информацию. Но мы тоже сумели нанести неплохой ответный удар. Тогда нам очень помог Горбштейн. Я ведь говорил вам, что он финансовый гений.

— Можно узнать, каким образом? — поинтересовался Дронго.

— Мы распустили слухи, что компания Долгушкина переживает тяжелые времена, и именно поэтому им срочно нужны английские инвестиции. Более того, мы стали спекулятивно играть на понижение акций его компании. Потеряли почти два миллиона долларов, но своего добились. Их акции резко пошли вниз. Льву Эммануиловичу доверяют не только наши инвесторы, но и зарубежные, через неделю англичане отказались пролонгировать предварительно подписанный договор с компанией Долгушкина. А почему это вас интересует? Такие финансовые потрясения систематически случаются во многих компаниях. Разве вы этого не знаете? Законы рынка — выживает сильнейший. И все компании расталкивают друг друга, используя любые дозволенные методы.

— Спасибо за информацию, — поблагодарил Дронго и убрал телефон. — Это был Долгушкин, — убежденно произнес он, — именно по его поручению за Пурлиевым следили с девятого по восемнадцатое число. И прекратили наблюдение, когда английские инвесторы окончательно отказались подписывать с ним договор. Вот такая дикая конкурентная борьба.

— Если удастся доказать, что Долгушкин использовал незаконно полученную информацию, его могут привлечь к ответственности, — заметил Эдгар.

— Только после того, как сам Пурлиев придет в сознание и подаст на него в суд. Во всяком случае, теперь мы почти наверняка знаем имя заказчика в компании «Прометей». Это был Долгушкин, который таким образом хотел переманить англичан. Ему это почти удалось, но Ягмыр Пурлиев бросил в бой свой «стратегический резерв» — Льва Эммануиловича Горбштейна и все свои свободные деньги. В результате Горбштейн убедил всех, что акции компании Долгушкина искусственно завышены, а сама компания переживает нелегкие времена. И на скупке акций, а затем их продаже по более дешевой цене компания Пурлиева потеряла почти два с половиной миллиона долларов. Такая страшная восточная месть Ягмыра, который не останавливался ни перед чем. Англичане отказались от предварительно подписанного договора, и акции компании Долгушкина упали еще ниже.

— Какая восточная месть? Скорее западное коварство, когда разоряешь своего противника, используя свои неограниченные возможности, — возразил Вейдеманис. — Ну и фрукт этот наш Пурлиев!

— Нужно срочно поехать к Долгушкину, — предложил Дронго.

— Он нас выгонит, — убежденно произнес Эдгар. — И еще хорошо, если просто выгонит, на его месте я бы хорошенько отдубасил представителей компании Пурлиева.

— Необязательно говорить ему, что мы приехали как представители Пурлиева, — сказал Дронго, — для него придумаем другую легенду. Я сейчас позвоню и уточню, где именно находится компания Долгушкина.

Он снова позвонил Адамсу. Выяснилось, что компания Долгушкина находилась на соседней от компании Пурлиева улице и тоже обитала в многоэтажном офисном центре. Они отправились туда. Когда подъехали к зданию, на часах было около четырех. Внизу привычно дежурили двое охранников.

— Куда и по какому вопросу? — лениво осведомился один из них. Оба молодых человека были в синей форме.

— Нам нужно в компанию Долгушкина, — пояснил Дронго.

— Вам заказан пропуск? — поинтересовался охранник.

— Нет. Но у нас срочное дело.

— Тогда приходите завтра. Оформите разрешение и приходите.

— Дело чрезвычайной важности, — возразил Дронго, — и мы не можем отложить его на завтра.

— Вон там стоит внутренний телефон. Наберите тридцать четыре восемнадцать, — предложил другой охранник, — это их компания. Обычно после четырех мы не принимаем заявок, но, если они ее принесут, мы вас пропустим.

— Спасибо, — Дронго подошел к телефону, набрал внутренний номер и, услышав мужской голос, сказал: — Добрый день, мы звоним снизу, из холла вашего здания. Мы приехали к вам по просьбе английских инвесторов, и нам нужно срочно увидеться с господином Долгушкиным.

— Подождите немного, — мужчину явно взволновали эти слова, — сейчас я переговорю с господином Долгушкиным.

Дронго усмехнулся. Теперь он был уверен, что дежурный доложит руководителю компании об их визите. Буквально через сорок или сорок пять секунд все тот же голос сообщил, что разрешение на проход в здание уже получено и заявку сейчас спустят. Он только просил назвать фамилии, чтобы упомянуть их в заявке. Через две минуты из лифта выбежала девушка, протянула дежурным бумагу, а еще через несколько секунд они уже поднимались наверх. У выхода из кабины их встретил мужчина лет пятидесяти.

— Усольцев, — представился он, — Николай Платонович Усольцев, я финансовый директор компании. Идемте быстрее, Дмитрий Павлович сейчас вас примет. Вы говорите по-русски?

— Да, — ответил Дронго, — мы говорим по-русски.

— Вы похожи на итальянца, а ваш друг скорее на скандинава или прибалта, — заметил Усольцев.

— Вы почти угадали, — улыбнулся Дронго, — господин Вейдеманис из Риги. Только я не совсем итальянец, я родом из Баку.

— Все равно сейчас заграница, — рассмеялся Усольцев. — Вот приемная господина Долгушкина. Идемте.

В приемной сидела женщина, которой было далеко за пятьдесят. Почти белая голова, строгое темное платье, тяжелый взгляд из-под очков. Она кивнула гостям, продолжая что-то набирать на компьютере, и сказала:

— Он вас ждет.

Они вошли в просторный кабинет. Долгушкин поднялся им навстречу. Он был выше среднего роста, непричесанные волосы торчали в разные стороны. Крупный нос, узкие губы, очки, мягкая линия подбородка.

— Здравствуйте, господа, — поздоровался он с каждым из вошедших за руку, в том числе и с Усольцевым, и, показывая на длинный стол для заседаний, предложил: — Садитесь. Я вас слушаю.

— Вы уже знаете, что случилось прошлым месяцем, — начал Дронго. — Мы подписали предварительный контракт, но ваши акции начали после этого стремительно падать, и мы были вынуждены приостановить пролонгацию нашего предварительного договора.

— Да, это так, — ответил Дмитрий Павлович, — но теперь вы знаете, что это была сознательная игра на понижение курса наших акций. По нашим подсчетам, конкурирующая компания потеряла шесть миллионов долларов, пытаясь перекупать наши акции и продавать их по демпинговым ценам, с намерением расторгнуть наш договор.

Он солгал, увеличив потраченную Пурлиевым сумму более чем в два с половиной раза. Но нельзя было не предположить, что Адамс ошибается, возможно, он тоже лгал, сознательно занижая объемы потраченных денег.

— Это ужасно, — согласился Дронго, — но теперь курс начал обретать прежние очертания.

— С прошлого месяца он поднялся более чем на пять процентов, — напомнил Долгушкин. — Мы убеждены, что еще через несколько месяцев стабильного развития мы достигнем прежней цены, а возможно, и превзойдем ее. Поэтому вы вернулись очень кстати.

— Мы не представители английской компании, — на всякий случай уточнил Дронго, — мы только представляем ее интересы.

— Понятно, — кивнул Дмитрий Павлович, переглянувшись с Усольцевым. Было заметно, как оба радуются, заранее предвкушая свою победу над конкурентом. — Мы готовы работать с вами на любых условиях, — подчеркнул он. — Как только вы подпишете с нами это инвестиционное соглашение, наши акции взлетят вверх. Можете передать так вашим английским хозяевам в Лондоне.

— Мы в этом не сомневаемся, — согласно кивнул Дронго, — но почему ваши конкуренты пошли на такую неразумную акцию? Выбросить на ветер шесть миллионов, чтобы получить пять. Вам не кажется, что это не совсем нормальная операция для бизнесменов?

— Для обычных бизнесменов — да, — согласился Долгушкин, — но не для наших конкурентов. Руководитель их компании — Ягмыр Пурлиев, бывший туркменский высокопоставленный чиновник, сумевший получить российское гражданство. Но сам он находится в розыске по линии Интерпола. Запрос был сделан много лет назад бывшим туркменским правительством, куда он не попал. Более того, ему пришлось бежать из страны.

— Но это не объясняет, почему он фактически выбросил деньги на ветер, только для того чтобы досадить вам, — сказал Дронго.

— Он такой человек, — пояснил Дмитрий Павлович, — упрямый и амбициозный. Готов был потратить в пять раз больше, лишь бы разорить нашу компанию. Но у него ничего не получилось.

— Почему? Может, у него были веские причины для такого неадекватного поведения?

— Раньше я был его компаньоном, — нехотя признался Долгушкин, — но несколько лет назад решил уйти на «вольные хлеба». Он мне тогда этого не простил. Понимаете, есть такие люди, которые привыкли всегда быть лидерами, всегда быть на первых ролях. Он ведь был заместителем министра у себя в стране, и в нем еще осталась эта жажда власти. Сейчас он на стороне туркменской оппозиции. Но не потому, что он человек таких либеральных или демократических воззрений, а только потому, что не может простить нынешнему режиму, что не стал министром, не сумел себя полностью реализовать. Не украл сотни миллионов долларов, не получил неограниченной власти члена правительства. По-настоящему только деньги и власть его главные приоритеты. Это то, что он по-настоящему любит и ценит. Я создал другую компанию, и с тех пор он все время пытается нам отомстить.

Дмитрий Павлович не захотел рассказывать, как нанял частных детективов, которые следили за каждым шагом Пурлиева и в результате информации которых ему удалось сорвать подписание договора со своим бывшим компаньоном.

— По нашим сведениям, именно ваша компания начала против него необъявленную войну, а вы воспользовались незаконной коммерческой информацией, обратившись в частное агентство «Прометей» и установив слежку за господином Пурлиевым, которая проходила с девятого по восемнадцатое число прошлого месяца, — продолжал напирать Дронго.

Долгушкин хотел что-то возразить, даже открыл рот и сильно покраснел, очевидно, ему не хотелось, чтобы эти слова услышал Усольцев. Но и отступать было уже поздно.

— Все не совсем так, как вам рассказали, — сумел выдавить из себя Дмитрий Павлович, — они вас намеренно ввели в заблуждение.

— И вы никогда не обращались в фирму «Прометей»?

— Лично я — никогда, — гордо ответил Долгушкин, — хотя понимаю, что некоторые могли воспользоваться ситуацией. Но мы поставили во главу угла порядочность и честность работы нашей компании, — не совсем искренне добавил он.

— Поэтому наняли наблюдателей? — не успокаивался Дронго.

— Это клевета! — Дмитрий Павлович снова густо покраснел. Его вообще выдавали щеки и лицо. Он становился пунцовым от смущения и вранья. Очевидно, магия лжи давалась ему нелегко.

— В журнале «Прометея» записано имя заказчика, — заметил эксперт.

— В любом случае это не моя фамилия, — улыбнулся, уже немного успокаиваясь, Долгушкин. Он понимал, насколько опасным было бы оставлять свою фамилию, и отправил вместо себя другого человека. Но теперь, глядя на него, Дронго уже не сомневался, что именно

Дмитрий Павлович организовал наблюдение за Пурлиевым. Получалось, что Делером была права, когда настаивала на этом. А ее муж не хотел верить в очевидные факты.

— И вы не воспользовались этой информацией? — спросил Дронго, прекрасно зная ответ.

— Может быть. Но в битве с таким противником, как Ягмыр Пурлиев, все средства хороши, — вымученно признался Долгушкин.

— Поэтому решили воспользоваться ситуацией, — не отпускал его Дронго.

— Мы решили нанести удар по своим конкурентам, — не сдавался Дмитрий Павлович, — но законным путем. Не так подло, как поступил с нами сам Пурлиев. И его финансовый гений — господин Горбштейн.

— Которого вы дважды пытались перекупить, — напомнил эксперт.

— Об этом вам тоже сообщили, — покачал головой Долгушкин. — Повторяю: мы действовали методами самого Ягмыра Пурлиева. Хотя это было и достаточно сложно. В нас нет такой доли цинизма и наглости, которой он всегда отличался.

— Вы знаете, что вчера он попал в аварию? — спросил Дронго.

— Слышали. Но до сих пор не верим. Возможно, это его очередной трюк, чтобы усыпить нашу бдительность, а потом снова подстроить какую-то пакость. Я, конечно, не желаю его смерти, но, пока точно не буду знать, что вчера произошло на дороге, не поверю в его аварию. Он вполне способен солгать, это в его стиле, чтобы лишний раз привлечь внимание к своей особе и к своей компании. Такой рассчитанный рекламный ход. Он ведь умеет работать на публику.

— Вы его не любите, — понял Дронго.

— А его никто не любит, — сразу отреагировал Долгушкин, — ни сотрудники его компании, ни его собственная жена, ни даже его любовница. Он жестокий, непорядочный, злой, скупой человек, который ничего не делает без выгоды для себя. С ним нельзя иметь общих дел, ему нельзя доверять, его нельзя впускать в свою компанию или в свой дом. Этот человек способен на все. И он доказывает свою характеристику почти ежедневно. Когда вы хотите подписать с нами новый договор?

— Уже завтра, — любезно сообщил Дронго, — мы привезем все документы, чтобы вы их еще раз просмотрели. А на следующий день прибудут наши представители из Лондона.

— Очень хорошо. Вы не пожалеете, — пообещал Долгушкин.

— Не сомневаюсь. — Дронго поднялся со своего места и пожал руку ему, а затем молчавшему Усольцеву. Следом пожал им руки Эдгар Вейдеманис.

Когда за ушедшими гостями закрылась дверь, Дмитрий Павлович широко улыбнулся и победно посмотрел на Усольцева:

— У Ягмыра все равно ничего не вышло. Англичане поняли, как нас подставили, и решили вернуться. Представляю, как будет сходить с ума от бешенства Пурлиев, когда узнает, что его план не сработал! Он потратил столько денег, но не сумел нас разорить. Пусть теперь мучается.

— Нужно было проверить у этих типов документы, — задумчиво произнес Усольцев. — Слишком много неприятных вопросов было задано. Такое ощущение, что они специально занимались расследованием наших действий.

— А ты разве не проверил их документы? — удивился Долгушкин. — Охрана должна была проверить, иначе их бы не пустили к нам на этаж.

— Внизу проверяют только паспорта, их совпадение с предложенной заявкой, — напомнил Усольцев.

— А я думал, что ты все проверил, — несколько растерялся Дмитрий Павлович. — Ладно, ничего, никуда они не денутся, даже если приехали к нам не от англичан. Лишь бы подписали договор. Как только об этом узнают на бирже, наши акции сразу взлетят. Это тот случай, когда игра стоит свеч, — убежденно закончил он.

— Мне они не очень понравились, — произнес Усольцев, — в следующий раз надо будет их тщательно проверить, чтобы не произошло ошибки.

— Мы ничего не теряем и ничем не рискуем, — успокоил его Долгушкин, — даже если они пришли от самого Пурлиева. Пусть знает, что мы не такие простаки, как ему казалось. Будет даже лучше, если он узнает. А эту аварию он вполне мог придумать, чтобы нас обмануть. В общем, не беспокойся. Хуже не будет. Они и так с Горбштейном опустили наш курс акций ниже всякого разумного предела. Теперь наше время его поднимать.

А Дронго в это время беседовал в машине с Эдгаром.

— Слежку вели по приказу Долгушкина, в этом нет никаких сомнений. И Дмитрий Павлович с товарищами сумели использовать незаконно полученную информацию в своих коммерческих целях.

— Что теперь? — спросил Вейдеманис.

— Поехали обедать, а потом попытаемся вызвать на откровенный разговор супругу Пурлиева. Хотя я не совсем уверен в том, что разговор вообще состоится.

— А я уверен, что она не захочет с нами разговаривать, — поддержал друга Эдгар. — Если она не дура, то должна была догадываться о его похождениях и планах. А она совсем не дура.

— Не будем гадать. Сегодня мы узнали так много о жизни и работе господина Пурлиева, что остается узнать и том, как он ведет себя в семье. Хотя я полагаю, что человек не может столь кардинально меняться, и в семье он столь же непорядочен, как на службе и в отношениях с компаньонами. Это все ипостаси одного человека, который нравится мне все меньше и меньше, — задумчиво проговорил Дронго.

Глава 12

После обеда Дронго позвонил супруге Пурлиева. Он помнил номер домашнего телефона Пурлиевых в Жуковке. Трубку взяла Полина Яковлевна, он узнал голос кухарки.

— Алло, кто говорит? — спросила она.

— Это ваш вчерашний гость, — ответил Дронго, — мы вчера с моим другом приезжали к вам в Жуковку, когда трагически погиб ваш садовник.

— Да, я вас помню, — подтвердила Полина Яковлевна, — господин Дранга?

— Именно так. Только я Дронго.

— Все верно. Что вам нужно?

— А где ваша хозяйка?

— Она у себя в комнате.

— Вы можете попросить ее нам ответить?

— Сейчас попрошу ее взять трубку. — Было слышно, как она поднимается наверх по лестнице на второй этаж и стучит в дверь.

Вскоре трубку взяла Делером и тихо поздоровалась:

— Добрый день. Хотя уже добрый вечер. Я вас слушаю.

— Извините, что беспокою вас, — сказал Дронго, — но мне необходимо с вами встретиться и побеседовать.

— По какому вопросу?

— По вчерашним событиям в вашем доме.

Она замолчала. Секунд на пять, десять, пятнадцать. Потом наконец спросила:

— Почему вы считаете, что я могу быть вам полезна?

— У меня накопилось слишком много вопросов.

— Я вас понимаю. Но вы ведь знаете, что случилось после вашего отъезда. У меня просто нет сил и желания с вами встречаться. Извините. Может быть, через неделю или через две.

— Речь идет об убийстве вашего садовника и попытке убийства вашего мужа, — быстро добавил Дронго.

Снова молчание, которое длилось несколько секунд. Очевидно, она осмысливала его слова.

— Кто вам сказал, что моего мужа хотели убить? — чуть дрогнувшим голосом спросила Делером. — Насколько я знаю, это была обычная авария.

— Не совсем, — возразил Дронго, — сегодня получен акт технической экспертизы. Его автомобиль намеренно вывели из строя, чтобы машина перевернулась на крутом и скользком повороте. Что и произошло.

— И об этом знает следователь? — уточнила Делером.

— Это он сообщил мне заключение экспертизы, — подтвердил Дронго.

— Почему тогда вы хотите побеседовать именно со мной? — недовольно спросила она. — Какое я имею отношение к этой аварии? Или вы считаете, что я так хорошо разбираюсь в машинах, что могла испортить его автомобиль?

— Этого я не говорил. Но нам необходимо с вами побеседовать.

— Кому это «нам»? Хотите приехать ко мне со следователем?

— Нет. Со своим напарником. Это очень важно, госпожа Пурлиева. У нас накопилось слишком много разных вопросов.

— Их нельзя задать через неделю?

— Нет, невозможно.

— Хорошо, завтра я буду в городе и вернусь в Жуковку к полудню. Можете подъехать к этому времени. Я предупрежу охранников в поселке о вашем приезде. Что-нибудь еще?

— Больше ничего. Спасибо за ваше понимание.

— До свидания, — она отключилась.

— Железная женщина, — покачал головой Дронго, — почти уверен, что она наверняка знает об изменах своего супруга. Возможно, знает и о его желании развестись с ней и получить новую, более молодую жену. Виноградова уверяла меня, что они уже много лет не живут вместе как супруги и он купил супруге отдельную трехкомнатную квартиру.

— Неверный муж и неверная супруга. Классическая ситуация, — заметил Вейдеманис, — только она никак не похожа на автомобильного мастера, который мог испортить машину мужа. Ты когда-нибудь слышал о таком способе избавления от супруга?

— Не слышал. Но в этом мире каждый раз приходится чему-то удивляться или узнавать нечто новое. Она назначила нам встречу на завтра. Говорит, что вернется к полудню. Постараемся выехать пораньше, чтобы встретиться с ней в двенадцать, пока она не передумала.

Эдгар согласно кивнул, поворачивая машину к дому Дронго.

Был поздний вечер, когда снова позвонил Мельников.

— Здравствуйте, — поздоровался он, — решил все-таки еще раз позвонить вам, чтобы мы сверили наши позиции. Я уже понял, что вы решили провести параллельное расследование.

— Меня попросили об этом его коллеги, — напомнил Дронго, — а я привык относиться к порученному делу достаточно ответственно.

— Сначала убили его садовника, который, очевидно, оказался невольным свидетелем того, как кто-то чужой пытался слить тормозную жидкость и копался в двигателе «БМВ», а затем сделали попытку устранить самого Пурлиева. Это, безусловно, его политические противники, нет никаких сомнений в этом.

— У вас есть конкретные доказательства? — спросил Дронго.

— Пока никаких. Но понятно, что подобное убийство могло быть замышлено только политическими противниками. Я хочу еще раз допросить охранников в Жуковке, чтобы узнать, кто именно мог туда пройти, и просмотреть все камеры на соседних домах.

— Вы уже затребовали утренние записи?

— Конечно.

— А кто-нибудь на дачу к Пурлиевым утром приезжал?

— Никто. Я проверял. Даже водитель не приезжал. Ведь мы должны в первую очередь подозревать именно его, но его не было в Жуковке. А рано утром сам Пурлиев ездил куда-то в магазин, и, видимо, машина была в исправном состоянии. Значит, ее могли испортить только в период с десяти утра до того момента, как Пурлиев выехал из Жуковки. Я даже думаю, что убийство садовника могло быть спровоцировано, чтобы отвлечь внимание и покопаться в его машине. Такая версия тоже может иметь право на жизнь.

— Я не думаю, что все так однозначно, — возразил Дронго.

— Почему?

— Если бы садовник оказался невольным свидетелем, его не стали бы травить. Его бы убили сразу и на месте. Это не пришло вам в голову?

— Интересно, — процедил следователь, — значит, вы все-таки думали над подобным вариантом?

— Конечно. Он напрашивается сам собой. Но смерть садовника меня все же смущает более всего. Его не убили как свидетеля, а отравили. Это значит, что убийца опасался возможного разоблачения, но не боялся, что садовник немедленно проговорится. Отсюда я делаю вывод, что Бахрому почему-то выгодно было молчать. Ничего другого я не могу придумать, ведь понятно, что этот несчастный таджик не мог быть замешан ни в каких политических заговорах.

— В таком случае у вас должна быть своя версия, — предположил Мельников, — вы можете мне ее изложить? Если это, конечно, не секрет?

— Пока нет. Нужно все проверить. Хочу обратить ваше внимание, что за машиной Пурлиева следили девять дней. Наблюдение вели два автомобиля.

— И вы знаете, кто это был?

— Да, мне удалось узнать, — подтвердил Дронго. — Более того, я даже знаю, кто именно заказал это наблюдение. Наблюдение вели сотрудники частного агентства «Прометей» с девятого по восемнадцатое число, как я вам уже говорил. Мы были в «Прометее» и все лично проверили. Вы можете выяснить у них имя заказчика, хотя я убежден, что имя настоящего заказчика вы не узнаете. Но я вам его сообщу — это глава конкурирующей компании и бывший компаньон Пурлиева господин Долгушкин.

— Вы поражаете меня все больше и больше. Значит, вы думаете, что убийство садовника и попытку убийства Пурлиева предпринял его бывший компаньон, а ныне глава конкурирующей фирмы?

— Я не говорил про убийство. Я говорил о наблюдении за Пурлиевым. В любом случае вам просто необходимо все проверить. У меня нет полномочий требовать у них открыть всю документацию. А вы, как официальное лицо, в рамках уголовного дела можете затребовать и изъять все документы.

— Так и сделаю, — решил Мельников. — Кстати, вы знали, что Виноградова и Пурлиев должны были пожениться?

— Она мне тоже об этом сообщила, — признался Дронго, — но я не слышал подобных подтверждений от самого Пурлиева. А мужчинам доверять в подобных случаях нельзя.

— Так думают женщины, — хрипло рассмеялся следователь.

— Иногда приходится думать так же, как и они, — заметил Дронго.

— Я все проверю, — пообещал Мельников, — спасибо за информацию.

— У меня тоже к вам вопрос. Вскрытие тела Бахрома уже было?

— Конечно. Еще вчера вечером. У нас официальное расследование, а не частная лавочка, — не удержался от колкости следователь. — Там ничего необычного. Умер от отравления. Сильный яд был в его бутылке с минеральной водой. Он не мог образоваться органическим путем ни при каких обстоятельствах, отравили намеренно, в этом нет никаких сомнений. Но на бутылке были только его отпечатки пальцев. Мы проверили.

— Ясно. Спасибо, что сообщили.

— Завтра я проверю это агентство «Прометей» и узнаю, что именно там произошло, — пообещал следователь и, попрощавшись, закончил разговор.

Дронго прошел в кабинет, включил свой ноутбук. Он просидел перед экраном около двух часов, вычитывая все, что можно было узнать о деятельности Ягмыра Пурлиева, его прежней работе в Туркмении и новой в России. Проверив и деятельность компании Долгушкина, убедился, что их акции действительно резко упали за последние несколько месяцев.

Утром, сразу после завтрака, к нему приехал Эдгар, и они отправились в Жуковку. Охрана была уже предупреждена, и их легко пропустили в поселок. Однако в самом доме никого, кроме Полины Яковлевны, не было. Кухарка подтвердила, что хозяйка должна была скоро вернуться, но задерживается и просила принять гостей, пока не подъедет. Она проводила обоих мужчин в гостиную и предложила им кофе. Дронго попросил принести ему чай. Она вышла в кухню и вскоре вернулась с подносом, на котором стояли две чашки. Поставив их перед гостями, Полина Яковлевна собиралась покинуть гостиную, но Дронго попросил ее задержаться.

— Можно задать вам несколько вопросов? — сказал он.

— Мне? — удивилась кухарка. — Конечно, можно. Но я ничего не знаю.

— Садитесь, пожалуйста, — пригласил ее к столу эксперт, — у меня не так много вопросов. Вы ведь давно здесь работаете?

— Они всегда были довольны моей работой, — я даже научилась готовить настоящий узбекский плов, который они любят. С мясом и изюмом. Это такой сушеный виноград.

— Я знаю, что такое изюм, — улыбнулся Дронго, — и тоже люблю узбекский плов. У нас изюм называют кишмишем. Не сомневаюсь, что вы хорошая кухарка. Вы ведь знаете, что господин Пурлиев попал в автомобильную аварию, а перед этим просил меня о помощи.

— Про аварию знаю, — вздохнула Полина Яковлевна, — а про его просьбу мне ничего не известно.

— Вы сказали, что Бахром работал у вас только несколько месяцев, — напомнил Дронго.

— Правильно. Раньше работал Равиль, а потом его убрали и взяли Бахрома. Равиль хорошо справлялся, а Бахром сначала даже не знал, что ему делать.

— Почему? Разве он не садовник?

— Нет. Конечно нет. Он работал в какой-то мастерской, откуда его взяли к нам. Наверное, пожалели. Он ведь один здесь жил, без семьи, без родственников, которые остались там, в Таджикистане.

— Кто его нанял? — уточнил Дронго.

— Сам Ягмыр Джумаевич, — ответила кухарка, — он его привел, хотя хозяйке больше нравился Равиль. Он был моложе и хорошо справлялся с работой. Правда, и Бахром постепенно освоился.

— И он все время жил в этом доме?

— Да, смотрел за хозяйством и почти все время находился здесь, даже когда все отсутствовали. А меня хозяин иногда отпускал. Когда хозяйка уезжала куда-то в другой город, он обычно меня не звал.

— Может, потому, что сюда приезжала другая женщина? — забросил удочку Дронго.

Полина Яковлевна вздрогнула, посмотрела на гостей и неестественно высоким голосом спросила:

— Какая женщина?

— Вы знаете какая. Та, о которой вам наверняка рассказывали садовник и водитель Пурлиевых.

Кухарка смутилась и опустила глаза.

— Это неправильно, неправильно, когда все об этом узнают. Он напрасно привозит сюда свою знакомую.

— Они вроде бы собираются пожениться, — заметил Дронго.

— Только этого не хватало! — всплеснула руками Полина Яковлевна. — Наша хозяйка такая красивая женщина и совсем молодая, ей еще и сорока нет. Разве можно о таком даже подумать? И дочка у них совсем взрослая.

— Но семейные проблемы все-таки существуют? — настаивал Дронго.

— Откуда я знаю? — удивилась она. — Это лучше у них спрашивать, я в такие дела не вмешиваюсь.

— Но спальни у них разные.

— Им так удобнее, — коротко ответила кухарка.

— Согласен. Не будем обсуждать их поведение. А Бахром в последнее время ничем вас не удивлял?

— Меня здесь все удивляют, — вздохнула она, — Бахром тоже. Он ведь собирался вернуться к себе в Таджикистан. Хотел уехать на следующей неделе, уже вещи собирал. Но, видимо, не судьба. Жалко его, хороший человек был. Хотя в последнее время какой-то странный стал, осунулся весь, переживал.

— Он сообщил вам, что собирается уехать? — уточнил Дронго, переглянувшись с Вейдеманисом.

— Да. Сказал, что решил навсегда вернуться к себе. И еще спрашивал меня, где в Москве находится мечеть. Говорил, что должен обязательно туда заехать. Я сама не знала, у нашего водителя Жени спросила. Он мне и объяснил.

— А почему Бахром хотел уехать?

— Не знаю. Но он твердо говорил, что уедет.

— А ваш водитель? Он давно работает с Пурлиевыми?

— Нет. Тоже недавно, года два. У нас ведь раньше работал дядя Семен, но ему уже под семьдесят было, и он иногда не справлялся, даже засыпал порой в машине. Вот его и решили поменять на Женю. А этот молодой, ему только недавно тридцать стукнуло. Нахальный такой, но исполнительный, внимательный. И водитель хороший.

Она не успела договорить, как к дому подъехала машина. Это был «Мерседес», за рулем которого сидел молодой человек. Из салона вышла Делером и сильно хлопнула дверцей, очевидно, она была чем-то расстроена или взволнована. Стуча каблуками, хозяйка прошла в дом. Увидев гостей, сдержанно поздоровалась и сухо обратилась к кухарке, не успевшей выйти из комнаты:

— Я не разрешала вам беседовать с нашими гостями, Полина Яковлевна. Вам нужно было только принять гостей. Идите на кухню.

Следом за Делером в гостиной появился молодой водитель. Несмотря на возраст, он был лысоват, с покатым черепом, редкими светлыми волосами и узкими глазами. В руках он нес два пакета.

— Куда поставить? — спросил водитель.

— Оставь здесь, — нервно произнесла Делером, — и возвращайся в машину.

— Мне нужно заправиться, — напомнил Женя.

— Об этом мы поговорим потом. Жди в машине, — повысила голос женщина.

Он пожал плечами и вышел из гостиной. Делером уселась на место кухарки и взглянула на гостей:

— Вы понимаете, что мне сейчас не до вас и не до ваших разговоров. Но я согласилась вас принять, если речь идет о моем муже и происшедшей с ним аварии. Только я не совсем поняла, о каком акте вы говорили?

— Вы все поняли правильно, — строго произнес Дронго. — У следователя есть акт технической экспертизы перевернувшегося «БМВ» вашего мужа, который намеренно испортили.

— Значит, у него были враги, — не меняя выражения лица, сказала Делером, — и вам нужно их найти.

— Поэтому мы здесь и тоже хотим знать врагов вашего мужа.

— И вы считаете, что я могу вам помочь?

— Во всяком случае, мы пытаемся выяснить, кто именно мог это сделать. В машинах хорошо разбирается ваш водитель, как вы считаете, его могли подкупить, чтобы он намеренно испортил автомобиль вашего супруга?

— Не знаю, — ответила Делером, — в последнее время он ведет себя очень странно.

Говорит какие-то глупости, все время хамит. Но я не думаю, что он мог быть причастен к такому ужасному преступлению. Муж не давал ему ключей от наших машин, Женя водил только «Мерседес». И еще брал внедорожник, когда Ягмыр ему разрешал. А ключи от наших машин были всегда у нас.

— Вы познакомились с мужем в Туркмении?

— Да. Мой отец работал там в институте мелиорации. Был послан туда из Ташкента, а мы жили в Ашхабаде. Отец рано умер, и мама решила, что Ягмыр лучшая партия для молодой девушки. Я училась в медицинском, а он был уже ведущим специалистом министерства, уверенно шел по карьерной лестнице. И родственники у него были влиятельные. Не скрою: он тогда произвел на меня впечатление, хотя мне изначально не нравилось, что он ниже меня ростом. Но, по восточным понятиям, я была бесприданницей, а он был представителем известного клана. И моя мама уговаривала меня принять его предложение. Позже она переехала в Крым, я тогда училась на пятом курсе. Ну, а через десять лет нам пришлось срочно бежать из страны, когда Ягмыра обвинили в коррупционной деятельности и хищении особо крупных сумм.

Вейдеманис посмотрел на Дронго. Оба отметили, что она ничего не сказала об оппозиционной деятельности своего супруга. Пурлиев уверял, что был вынужден уехать из Туркмении из-за своей приверженности демократии, тогда как его жена просто сказала правду. Он обвинялся в крупных хищениях и был вынужден сбежать, чтобы не попасть в тюрьму. И только сбежав из страны, примкнул к оппозиции.

— У вашего мужа были враги? — уточнил Вейдеманис.

— Не знаю. Наверное, были, — ответила она. — И среди политиков, ведь он поддерживал оппозицию, и среди бизнесменов, он вел дела своей компании достаточно жестко. Вы помните, что мы говорили о Долгушкине? Это был его бывший компаньон, близкий друг, которого он просто выставил из своей компании. Тот, конечно, обиделся. Я думаю, что враги у Ягмыра были, но кто именно мог испортить его машину, не представляю.

— А ваш садовник Бахром? — спросил Дронго, внимательно посмотрев на нее.

Делером попыталась сохранить спокойствие, но было заметно, что этот вопрос ее буквально поразил. Она положила руки на стол, пытаясь успокоиться, даже сделала попытку улыбнуться.

— При чем тут Бахром? Это несчастный человек.

— Его отравили два дня назад, за несколько часов до аварии с вашим мужем.

— Да, я помню.

— А в день аварии никого утром не было в Жуковке. Никого, кроме нас с господином Вейдеманисом. А это значит, что среди подозреваемых могут быть только ваша кухарка, которая наверняка не разбирается в машинах, и ваш садовник.

— Но он садовник... — попыталась возразить Делером.

— Который раньше работал в какой-то мастерской, — достаточно невежливо перебил ее Дронго. — Вам не кажется странным, что его взяли несколько месяцев назад, хотя, по утверждениям вашей кухарки, он был совсем не садовником. Вы не знаете, в какой именно мастерской работал раньше Бахром?

Она прикусила губу и сухо ответила:

— Его взял мой супруг, я не знаю, где именно он раньше работал.

— У него появились деньги, которые пока не нашли, и он собирался уехать через несколько дней к себе в Таджикистан.

— Это все наболтала Полина Яковлевна, — поморщилась Делером, — я ее уволю за подобные разговоры. Как она посмела!

— У нас были свои источники, — попытался защитить кухарку Дронго.

— Перестаньте, — отмахнулась Делером, — его никто не знал. Он работал у нас только несколько месяцев.

— А ваш муж сказал, что несколько лет, — заметил Дронго.

— Наверное, у него были на то свои причины. Спросите у него, когда он наконец выйдет из комы.

— Но кто-то отравил садовника, видимо, воспользовались его услугами, а потом решили отравить.

— В таком случае этот убийца садовника просто мерзавец, — с чувством заявила Делером, — сначала использовал несчастного Бахрома, а потом отравил его. Видимо, встречаются и такие типы.

— И вы не знаете, кто это мог быть?

— Если бы знала — сказала. Конечно, не знаю.

— Вашего мужа хотели убить и убили вашего садовника. Я приехал сюда не для того, чтобы удовлетворять свое любопытство.

— Что вы имеете в виду?

— У меня есть несколько личных вопросов, на которые я прошу вас ответить.

— Я думала, вы уже закончили. Что еще вас интересует?

— Ваши отношения с мужем.

Она усмехнулась и покачала головой.

— Мне казалось, что это только моя проблема, или сыщикам тоже интересно копаться в нашей личной жизни?

— Вы не ответили на мой вопрос.

— У нас нормальные отношения, — чуть повысила голос Пурлиева, — и не нужно больше об этом говорить. Вы должны понять, что я не расположена к откровенности именно в этом вопросе.

— Мне хотелось...

— Я уже сказала, — гневно перебила эксперта Делером, — я не собираюсь разговаривать с вами на эту тему. Мои отношения с мужем — это наше личное дело, которое никого не касается.

Дронго понимал, в каком состоянии находится его собеседница, но ему важно было получить ответы еще на несколько важных вопросов.

— Думаю, что мы закончили наш разговор, — твердо произнесла Делером. — Мне очень жаль нашего садовника и еще больше жаль своего мужа, который попал в ужасную аварию. Но ничего больше я добавить не могу. — Она выжидательно посмотрела на гостей и первая поднялась со своего места. — До свидания, — кивнула Делером, поворачиваясь, чтобы уйти.

— И вы не хотите поговорить даже о Миле Виноградовой, которая работает с вашим супругом? — спросил вдруг Дронго.

Она замерла, потом медленно повернулась к ним и гневно произнесла:

— Что вы себе позволяете?

Глава 13

—Я спросил о женщине, которая собирается выйти замуж за вашего мужа и не скрывает своих планов, — ответил Дронго.

Делером хотела что-то возразить, еще больше оскорбиться, но вместо этого обессиленно опустилась на стул. Играть ей больше не хотелось.

— Что вам еще нужно? — сказала она, не поднимая головы. — Хотите меня добить окончательно?

— Я не хотел вас обидеть или оскорбить, — пояснил Дронго, — но я был сегодня у этой сотрудницы вашего мужа.

— Не нужно о ней ничего говорить, — подняла голову Делером. — Я ничего про нее не желаю слышать.

— Достаточно и того, что вы знаете о ее существовании, — пробормотал эксперт.

Эдгар тактично вышел из комнаты, чтобы оставить их одних.

— Она сказала, что собирается за него замуж, — прошептала Делером, — значит, они уже не скрывают своих планов.

— Вы знаете о ее существовании?

— А как вы думаете? Конечно, знаю. Любая жена сразу понимает, когда у ее мужа появляется другая женщина. Это так заметно. Я знала, что Ягмыр не самый верный супруг на свете, но до поры до времени закрывала на это глаза. Меня ведь воспитывали сначала в Ташкенте, потом в Ашхабаде и твердо внушили, что главный человек в семье — всегда мужчина. Жена всегда остается в его тени, что бы ни случилось. У нас позволительны любые измены мужчин, пока они живут в семье, заботятся о своих женах и детях. А потом появилась эта особа, которой прежде всего нужны были его деньги. Колоскова мне несколько раз рассказывала, что эта женщина приезжала сюда, когда меня тут не было. Ее видели наши соседи, охранники, водители других соседей. Муж даже отправлял домой Полину Яковлевну, чтобы она мне ничего не рассказывала. Но Бахром и Женя все видели. Представляете, что они обо мне думали? Ужасно больно и обидно. Но я терпела до тех пор, пока он не купил мне эту московскую квартиру и не объявил, что мы с дочерью должны переехать туда жить, а здесь поселится его новая пассия. Вот так. После двадцати лет нашей супружеской жизни. Когда мне почти сорок и я никому не нужна. А самое обидное, что он не захотел подумать даже о нашей дочери. Мне только недавно объяснили, что, если девочке исполнится восемнадцать лет, она вообще не может претендовать на какие-либо деньги или имущество своего отца. Жена может, а совершеннолетние дети нет. Вот такие у нас законы. Но и супругу можно лишить большей части наследства при большом желании. Нанимают хорошего адвоката и выплачивают ей какие-то отступные. Так поступают богатые люди повсюду в мире, в том числе и в России. Приятная перспектива?

— И вы все это знали?

— Пришлось узнавать, — вздохнула Делером, — мне вообще многое пришлось узнать после того, как мы сбежали в Москву. Я считала своего мужа порядочным человеком, а он оказался обычным вором. Именно так. Оказывается, он воровал миллионами на этих газовых контрактах. Нет, я понимаю, что не имею права жаловаться. В конце концов, именно за его счет я так и жила. В хорошем доме, со своей кухаркой и садовником, ездила по курортам, ни в чем себе не отказывала. Но все равно не могла избавиться от гадкого ощущения, что это все — ворованные миллионы. Все время думаю: а как живут остальные женщины? Они ведь прекрасно знают, когда их мужья зарабатывают, а когда воруют. Но в нашей восточной традиции главное, чтобы муж вас обеспечивал. А каким образом он это делает, вас не должно волновать. Даже если он не просто вор, а убийца. Мне ужасно стыдно.

— Вы слишком близко приняли к сердцу всю эту ситуацию с вашим бегством из Туркмении, — негромко произнес Дронго, — уверяю вас, что жены наших чиновников совсем не комплексуют из-за денег своих благоверных. Я думаю, что на зарплату и честно заработанные деньги живет не более одного процента людей. И это не чиновники и тем более не бизнесмены.

— Возможно, вы правы, — тихо согласилась Делером.

— Насчет Долгушкина вы тоже были правы. Он действительно организовал наблюдение за своим бывшим компаньоном и сумел перехватить контракт с англичанами. Правда, ваш муж оказался умнее и хитрее. Вместе с Горбштейном они нанесли ответный удар, скупая акции компании Долгушкина по номинальной цене и продавая их гораздо дешевле номинала. И все только для того, чтобы разорить компанию своего бывшего друга. Разорить не удалось, для этого требовалось слишком много денег, но существенно понизить курс акций конкурирующей компании они сумели.

Делером никак не отреагировала на его слова, и Дронго вдруг понял, что ее вообще не интересуют ни Долгушкин, ни дела ее супруга. Он замолчал и затем, неожиданно даже для самого себя, спросил:

— Как себя чувствует Пурлиев?

— Не очень. Врачи говорят, что пока он в коме, и они не знают, когда он из нее выйдет. Говорят, если не удастся быстро вывести его из этого состояния, могут начаться необратимые изменения в мозге. Не знаю. Пока никаких шансов.

— Вас это пугает?

— Не знаю, как ответить на этот вопрос. Я понимала, что он собирается от меня избавиться, но мне не хотелось, чтобы в этой истории пострадала наша девочка. Она уже взрослая и понимает, что между нами происходит нечто странное.

Делером наконец взглянула на эксперта, и в ее глазах не было ни боли, ни раскаяния, ни сожаления.

— Я пойду, — сказал Дронго, поднимаясь со стула. Она даже не шевельнулась.

У машины, припаркованной перед домом, стояли водитель и Вейдеманис. Пока Дронго беседовал с хозяйкой дома, у Эдгара состоялся по-своему примечательный разговор с Женей.

— Долго еще твой друг будет с ней разговаривать? — лениво осведомился Женя.

— Скоро выйдет, — пообещал Вейдеманис. — А где вы были? Мы сидели здесь с двенадцати часов дня.

— Заезжали в больницу, — пояснил водитель, — она хотела выяснить, как себя чувствует ее любимый муж, — в его словах прозвучала нескрытая ирония.

— Она, наверное, волнуется? — предположил Эдгар.

— Как же, будет она волноваться, — скривил губы Женя, — они вообще жили как кошка с собакой, и он собирался от нее уйти, уже привозил свою новую бабу сюда в Жуковку. А ты говоришь, волнуется. Кстати, она могла поехать к нему и на своей машине, давно уже не хуже мужика водит.

— Ну, наверное, чувствовала себя плохо, — нарочно произнес Вейдеманис.

— Что ты понимаешь, — отмахнулся Женя. — Все они такие — эти бабы. Сначала не ценят мужиков, а когда теряют, только тогда понимают, что именно потеряли.

— А ты хорошо знал Бахрома? — перевел разговор на интересующую его тему Эдгар.

— Конечно, знал, — ответил Женя, — тоже дурак был хороший. Недоумок. Мог стать миллионером, а стал покойником. Так часто бывает. Все потому, что слишком всем доверял. Вот и отправился на тот свет.

— Что ты имеешь в виду?

— Кто-то же его отравил, — ухмыльнулся водитель, — значит, кто-то залез к нему в его «собачью будку» и отравил минеральную воду, которую этот язвенник пил.

В этот момент из дома вышел Дронго и услышал последние слова водителя.

— А кто мог отравить его воду? — уточнил он.

— Не знаю, — смутился Женя, — просто болтали с вашим водителем. Откуда я знаю, кто его отравил.

Он видел, как Вейдеманис привозил Дронго, и, когда Эдгар вышел из дома, оставив своего напарника с хозяйкой, рассудил, что он всего лишь водитель, поэтому и был так раскован и откровенен с ним.

— Я хотел у вас спросить, в какой мастерской раньше работал Бахром? — спросил Дронго.

— В автомастерской, конечно, — сразу ответил водитель. — Он был гениальным механиком, мог по звуку сказать, какие неполадки в двигателе. Но у него не было прописки и российского гражданства. А с этим сейчас очень строго. Хозяина мастерской два раза брали за жабры, чтобы он уволил Бахрома. Конечно, ему этого очень не хотелось, но и платить за своего работника налоги и отчисления в Пенсионный фонд он тоже не хотел, поэтому уволил Бахрома. А потом его нашел Пурлиев и предложил ему работу садовником. Бахром и согласился. Иначе куда бы он делся?

— Действительно, куда, — словно соглашаясь, пробормотал Дронго и отошел к своей машине.

Эдгар, решив сыграть роль до конца, забежал с другой стороны и открыл дверцу напарнику. Дронго солидно кивнул и уселся на заднее сиденье. Вейдеманис снова обежал автомобиль и устроился за рулем. Женя продолжал смотреть на них, уже не сомневаясь, что его первый собеседник был водителем, а второй — начальником.

Машина медленно тронулась. Когда они выехали из Жуковки, Вейдеманис остановил ее и обернулся к своему другу:

— Тебе там понравилось? Не хочешь пересесть вперед?

— Ты молодец, — похвалил его Дронго, — просто здорово подыграл этому молодому придурку. Теперь он точно уверен, что ты мой водитель.

— А ты мой хозяин, — кивнул Эдгар, — он поэтому и позволил себе немного пооткровенничать. — И он коротко пересказал их разговор.

Пересевший на переднее сиденье, Дронго задумался и признался:

— Чем больше узнаю об этом деле, тем неприятнее все это дальше расследовать. Значит, Бахром все-таки работал в автомастерской. И прекрасно разбирался в автомобилях. Тогда все понятно. А следователь Мельников по-прежнему ищет, кто именно мог испортить машину Пурлиева. Бахром, естественно, имел время и возможность немного «улучшить» ходовые качества «БМВ». Но почему тогда Пурлиев взял бывшего автомеханика на должность садовника? Пожалел несчастного таджика? Не похоже. Он совсем не тот человек, которому свойственно подобное чувство. Тогда почему?

— Это нужно спросить у самого Пурлиева, — посоветовал Эдгар. — А что говорит его жена? Когда он поправится?

— Он в коме, и врачи пока не говорят ничего определенного, — ответил Дронго.

— Как прошла беседа с Делером? Не сомневаюсь, что она знала о существовании конкурентки.

— Конечно, знала. И не только о ней. Она многое знает. И еще больше скрывает. Мне даже страшно предположить, что именно она может скрывать. Но в любом случае она уже знает, что муж собирается с ней разводиться и жениться на другой. Он ведь не особенно скрывал своего увлечения Виноградовой и даже несколько раз привозил ее сюда, в Жуковку. Об этом знали Бахром и Женя. И еще видели некоторые соседи, когда Мила появлялась в доме.

— Знаешь, почему она задержалась? — неожиданно сказал Эдгар. — Они ездили в больницу, навестить Пурлиева. Такая трогательная забота о муже очень раздражает водителя, он сам сказал об этом. Что нам теперь делать? Садовника убили, мужа едва не убили. Жена его не уважает и, видимо, давно не любит. Любовница и секретарь соревнуются, кто больше вытянет из него денег и вещей. Водитель тоже не питает к нему особого пиетета. Я начинаю думать, что большие деньги не приносят счастья их обладателю. Тем более такому одиозному, как Пурлиев.

— По большому счету, если бы не смерть садовника, то многое было бы ясно, — признался Дронго, — хотя сама авария все-таки вызывает целую массу вопросов. И еще один момент. Полина Яковлевна вспомнила, что Бахром собирался возвращаться обратно в Таджикистан и даже спрашивал, где находится мечеть. Интересно, зачем?

— Он был верующим человеком и хотел пойти туда, чтобы помолиться, — предположил Вейдеманис.

— А где деньги? Ему кто-то заплатил прямо перед его смертью. И, возможно, именно он испортил машину своего хозяина.

— Тогда кто его убил? — спросил Эдгар. — Предположим, что Бахром выполнял поручение Делером, а она потом отравила его воду. Тогда все внешне сходится. Но его брал на работу именно Пурлиев. Может, его отравил сам Ягмыр Джумаевич?

— Тогда тоже нелогично. Получается, что они убили друг друга. Почему это сделал садовник, я еще могу понять, ведь ему могли предложить деньги. Но почему тогда нужно было убивать садовника и вызывать новые подозрения? Пурлиев далеко не дурак. Он понимал, что неожиданная смерть садовника вызовет массу вопросов. Причем вопросы будут задавать сотрудники следственного комитета, которые умеют допрашивать.

— Тогда кто и зачем?

— Если бы я знал ответы на все вопросы, то я был бы...

— Дронго, — закончил за него Вейдеманис и первый рассмеялся своей шутке.

— Все не так просто, — покачал головой эксперт. — Сейчас позвоню следователю.

Он достал телефон и набрал номер Мельникова.

— Алло, слушаю вас, — сразу ответил тот.

— Это Дронго.

— Очень хорошо, — обрадовался Мельников. — Мы сидим в агентстве «Прометей» с руководителем и его заместителем. Кстати, господин Мовсесян передает вам привет.

— Спасибо.

— Мы проверили все заказы и убедились, что наблюдение за Пурлиевым оплатил один из сотрудников компании Долгушкина, — продолжил следователь. — Выходит, что и здесь вы оказались правы. Эти конкуренты пользовались недобросовестной коммерческой информацией. Представляю, сколько они заработали!

— У них ничего не вышло, — сообщил Дронго, — англичане отказались подписывать с ними договор, а их акции только упали в цене.

— Это вы тоже успели узнать?

— Конечно. Это моя работа. Но я хотел попросить вас о другом. После смерти Бахрома ваши сотрудники наверняка обыскали этот небольшой флигель, в котором он жил. Я хочу знать — они нашли деньги?

— Какие деньги? — изумился следователь. — Мы ничего не нашли. Все его сбережения были в карманах несчастного. Восемь тысяч рублей, чуть больше двухсот пятидесяти долларов. Да и то, наверное, для него это были огромные деньги.

— Нет, — решительно возразил Дронго, — там должно быть гораздо больше. Он собирался возвращаться обратно в Таджикистан, значит, у него должно быть несколько тысяч долларов. По меркам его страны, это целое состояние. Для сравнения — неплохая трехкомнатная квартира в центре Душанбе может стоить пятнадцать тысяч долларов, а иногда и дешевле.

— Перееду жить к ним, в Душанбе, — рассмеялся Мельников и повторил: — Но мы никаких денег не нашли.

— Плохо искали, — недовольно проговорил Дронго, — нужно провести обыск и в доме и постараться найти эти деньги.

— В доме у кого? — не понял следователь. — У него не было своего жилья, он ведь постоянно жил во флигеле.

— В доме Пурлиевых, — уточнил Дронго.

— Вы думаете, что они?.. — Даже на этом конце провода чувствовалось, как потрясен Мельников. Он поднялся, вышел из кабинета в приемную и уже шепотом спросил: — Вы думаете, что его отравил кто-то из хозяев дома?

— Это возможная, но необязательная точка зрения, но в любом случае нужно проверить.

— Обязательно, — заверил следователь эксперта.

Дронго убрал телефон и в сердцах произнес:

— Господи! Где их только готовят, таких недоумков! Он ведь вообще не представляет, как нужно правильно проводить такие сложные расследования.

— Будем надеяться, что ничего плохого в этом деле больше не случится, — заметил Вейдеманис, но Дронго в ответ промолчал.

Оба даже не представляли, что уже завтра получат еще один труп, который окончательно запутает расследование и приведет их к абсолютно неожиданным и парадоксальным выводам.

Глава 14

Вернувшись домой, Дронго отправился в ванную комнату, чтобы принять душ. Он стоял под горячей водой, размышляя о том, что они услышали. А когда вышел из ванной, ему позвонил Курбанов, тот самый представитель туркменской оппозиции, который приезжал к ним в офис.

— Добрый день, господин эксперт, — вежливо поздоровался Курбанов, — я хотел уточнить, что именно вам удалось узнать.

— Пока у нас мало информации, — признался Дронго, — но мы работаем. К сожалению, наш друг все еще находится в больнице и не вышел из комы.

— Это мы знаем и молимся за его здоровье, чтобы он поскорее поправился. Но мы узнали, что у него были и какие-то семейные проблемы.

«Кажется, Мельников делает все, чтобы я окончательно в нем разочаровался», — зло подумал Дронго. Наверняка утечка прошла где-то на их уровне. Кто-то из работающих в полиции или следственном комитете сообщил информацию друзьям Курбанова.

— Давайте не будем обсуждать его проблемы, пока он не вышел из комы, — предложил эксперт, — это нечестно по отношению к вашему другу. Когда он придет в себя и выпишется из больницы, мы сумеем поговорить с ним и на эту тему. Не нужно торопить события и влезать в его личную жизнь. Это неприлично.

— Но вы считаете, что пока нет прямых доказательств участия в покушении на представителей туркменских властей?

— Пока у меня нет таких данных, — ответил Дронго. — Возможно, правоохранительные органы вашей страны вовсе не причастны к этим преступлениям.

— Не будьте так уверены в этом, — перебил его Курбанов, — не забывайте, что мы попросили вас о помощи именно потому, что хотим найти следы их работы.

— Вы попросили меня о помощи, чтобы я установил истину, — резко возразил Дронго. — Я — профессионал и не подгоняю результаты своей работы под ваши заказы. Здесь не кухня, чтобы готовить мясо по вашему вкусу. Если вам не нравится, мы можем расстаться.

— Не нужно так говорить. Мы вполне вам доверяем, — поспешил заверить его Курбанов.

— До свидания. — Дронго положил телефон на столик. Понятно, что деятелям из оппозиции очень важно доказать причастность нынешних туркменских властей к покушению на Пурлиева. Но пока политическая версия преступления не имеет подтверждения.

Раздался еще один телефонный звонок. Дронго поморщился, посмотрев на аппарат. Неужели опять Курбанов? Нет, номер другой, кажется, это Наталья, секретарь Пурлиева. Он сразу ответил:

— Слушаю вас.

— Здравствуйте, господин эксперт, вы, наверное, меня уже забыли. Это говорит Наталья, секретарь Ягмыра Джумаевича.

— Я вас узнал. Что-нибудь случилось?

— Нет. Ничего не случилось. У нас вчера вечером был следователь, который беседовал с нашими сотрудниками. Про вас тоже спрашивал и назвал вас почему-то Дронго. Я специально посмотрела в энциклопедии — оказывается, это птица, обитающая в Азии. А потом я нашла ваши фотографии и сообщения о вашей деятельности и узнала, что вы знаменитый сыщик.

— Спасибо, — буркнул Дронго, — не всему, что написано в Интернете, можно верить.

— Это я понимаю. Но я специально позвонила вам, чтобы сообщить о том, что следователь интересовался, с кем именно вы беседовали и какие вопросы задавали.

— Значит, он разговаривал и с вами?

— Со всеми, в том числе и со мной. Я рассказала ему, как мы переживали из-за известия о смерти Милы и как обрадовались, когда она перезвонила из парикмахерской.

— Вы все правильно сделали. Я не сомневаюсь, что вы сказали следователю правду. Кстати, я хотел у вас уточнить. Кто в вашей компании занимается финансовыми вопросами? Я имею в виду не Адамса и Горбштейна, а главного бухгалтера. Кто у вас главный бухгалтер?

— Ольга Даниловна Березко, — ответила Наталья. — Она у нас работает уже шесть лет, но главным бухгалтером стала только год назад.

— Почему?

— Бывший главный бухгалтер умер в прошлом году.

— Его тоже сбила машина?

— Нет, нет. Он умер по дороге. У него было больное сердце, он перенес два инфаркта. И умер прямо на улице. Даже не успели вызвать «Скорую помощь».

— Вы можете дать телефон Ольги Даниловны?

— Конечно, записывайте. Кстати, она сейчас на работе. — Наталья продиктовала номер и, не удержавшись, спросила: — А вы действительно такой известный и богатый человек?

— Насчет известный — не знаю, — улыбнулся Дронго, — а насчет богатый — точно знаю, что не такой. Во всяком случае, не такой крутой, как ваш нынешний президент компании. Я никогда не работал на государственных должностях, и у меня не было доступа к бюджетным деньгам.

Наталья поняла его иронию и рассмеялась, затем смущенно произнесла:

— Извините, а я могу с вами увидеться не в нашей компании? Мне так хочется поговорить с вами о ваших расследованиях.

Кажется, она поняла, что в ближайшие несколько лет рассчитывать на Пурлиева ей не придется, поэтому решила заиметь «запасной аэродром».

— Давайте в следующий раз, — вежливо отказался Дронго, — когда я закончу расследование с этим делом.

— Вы обещаете?

— Обязательно. А пока — до свидания.

Закончив разговор, он тут же набрал номер телефона главного бухгалтера компании и, услышав ее немного уставший голос, сказал:

— Здравствуйте, Ольга Даниловна, с вами говорит эксперт, который приезжал к вам в компанию для расследования аварии, происшедшей с Пурлиевым, и смерти его садовника.

— Я про вас слышала, — ответила Березко. — Что вам нужно?

— Вам сказали, что я провожу расследование по просьбе друзей Ягмыра Джумаевича?

— Конечно. Вчера был еще и следователь. Все только и говорят о ваших визитах.

— Значит, вы в курсе. Можно узнать у вас, какие именно наличные суммы в последние дни снимал со своих счетов господин Пурлиев? Ведь он фактический владелец компании и может по своему желанию снимать любые суммы даже со счета компании.

— Он обычно использует свою кредитную корпоративную карточку, и все расходы идут из нашей компании. Последний раз он снимал крупную сумму в прошлом месяце, когда к нам должны были приехать гости из Великобритании. Мы оплатили им номера в отеле перечислением денег и выделили десять тысяч долларов на расходы.

— И больше никаких денег он не брал?

— За последнее время крупные суммы не брал. Но два месяца назад взял двадцать тысяч долларов на поездку в Будапешт. Туда он не поехал, но деньги остались у него. Хотя это его компания и его деньги, и он может тратить их как ему удобно. Мы исправно платим все налоги и делаем отчисления по социальному страхованию и в Пенсионный фонд.

— Спасибо. Я все понял. Извините, что побеспокоил вас.

— Если понадобится, звоните. А как там Ягмыр Джумаевич? У нас разное говорят.

— Мы все надеемся, что он поправится, — сказал Дронго. — Он пока в реанимации, но врачи продолжают работать, чтобы вывести его из комы. А у его супруги была своя карточка в вашей компании?

— Нет. Точно не была. Хотя у нее есть кредитная карточка «Альфа-банка» и одного швейцарского банка, куда Ягмыр Джумаевич переводил ей деньги.

— Ясно. Спасибо вам еще раз.

«Двадцать тысяч долларов два месяца назад, — подумал Дронго, — очень приличная сумма. И в Будапешт он не поехал. Нужно уточнить у Курбанова». И тут же набрал знакомый номер, хотя ему не очень хотелось снова разговаривать с этим типом.

— У меня к вам один вопрос, — сказал он, услышав голос Курбанова, — в последние несколько месяцев Пурлиев переводил вам крупные суммы или делал какие-то пожертвования?

— В начале года дал пять тысяч. Но это было давно. Мы все время ему напоминаем, чтобы он помогал нашей организации более активно. Особенно с его возможностями, — сообщил Курбанов.

— Спасибо и до свидания, — быстро попрощался Дронго.

— Выходит, эти деньги не пошли на оппозицию, значит, нужно позвонить и узнать у Милены, Пурлиев вполне мог купить какое-то украшение своей подруге.

Дронго набрал ее номер.

— Добрый день, — начал он, — хотя уже добрый вечер.

— Здравствуйте, — обрадовалась Милена, — это господин эксперт? Вы так быстро нас покинули. А следователь все время спрашивал, что именно вас интересовало и какие вопросы вы мне задавали.

— Не сомневаюсь, что вы сказали ему правду. Можно узнать у вас одну пикантную подробность?

— Давайте, — весело согласилась она.

— В последние два месяца Пурлиев не дарил вам дорогих подарков?

— Дорогих? Нет, не дарил. В последний раз он подарил мне четыре месяца назад на мой день рождения кулон с бриллиантом. Он вообще не любил делать спонтанных подарков, правда, обещал взять меня в Прагу и купить там какое-то украшение. А почему это вас интересует? Вам, наверное, наболтали, что он заваливал меня подарками и бриллиантами. Но это не так. Квартиру он мне купил, чтобы было куда самому приезжать, а машину я у него буквально выцыганила. И то поскупился на новую, купил трехлетней давности.

— Он получил недавно крупную сумму, и мне интересно, на что он ее потратил, — пояснил Дронго.

— Я знаю, — оживилась Мила, — мы ездили с англичанами обедать за город, делали им дорогие подарки, возились с ними как с детьми. А они потом плюнули на все и уехали. Было ужасно обидно.

— А два месяца назад? Тогда тоже приезжала какая-то делегация?

— Нет. Это точно. Два месяца назад он себя плохо чувствовал. Несколько дней даже не выходил на работу. А потом приехал ко мне и остался на ночь. Говорил, что у него болит голова. Но утром позвонила его супруга и устроила ему безобразную сцену по телефону: говорила, что он позорит семью, нервирует их дочь. Он тогда очень разозлился, даже накричал на нее, чего раньше никогда себе не позволял. А потом неожиданно сказал, что им нужно разойтись. Я была на кухне, готовила ему кофе, но все слышала. Нет, он тогда был не в том настроении, чтобы делать дорогие подарки или ездить с какими-то гостями за город. Но потом он успокоился и через несколько дней снова приехал ко мне и опять остался на ночь. По-моему, назло своей жене.

— Наверно, был уставшим, — посочувствовал Дронго, — спасибо вам за ваши ответы. Вы мне очень помогли.

— Не за что. Мне звонила Наталья, она говорит, что вы очень известный и знаменитый сыщик. Кажется, она даже немного влюбилась в вас. Она очень интересная женщина, и вам обязательно нужно встретиться с ней. Честное слово, вы не пожалеете.

— Не сомневаюсь. Она действительно очень красивая женщина и хорошая подруга, так переживала за вас, когда вы не отвечали на телефонные звонки.

— Я знаю, — с усмешкой ответила Мила, — а потом рассказала всем, что я поехала из больницы в парикмахерскую. Мне уже звонили две наши сотрудницы, чтобы выразить свое возмущение ее поведением. Но она наверняка не нарочно, просто проболталась. Мне еще Ягмыр говорил, что Наталья — добрая душа, но без царя в голове.

— Если вы советуете, я обязательно с ней встречусь, — пообещал Дронго, едва сдерживаясь, чтобы не рассмеяться.

— Только будьте осторожны, — посоветовала Виноградова, — иначе она сразу захочет получить новую машину. У нее бзик на этой почве. Кто-то из ее поклонников подарил ей подержанный «Фольксваген Пассат», и она теперь хочет обменять его на более шикарную машину.

— У меня нет денег на такие дорогие машины, — признался Дронго, все еще пытаясь удержаться от смеха.

— Очень жаль, она так рассчитывала на вашу помощь, — огорченно произнесла Мила.

— Мне тоже жаль, — согласился Дронго, — но я предложу ей в качестве утешения мотоцикл. Как вы считаете, ей понравится мотоцикл?

И услышал в ответ, как расхохоталась его собеседница.

Глава 15

Утром он еще спал, когда раздался телефонный звонок. Дронго раздраженно посмотрел на часы. Половина десятого. Интересно, кто может звонить в такое время на его мобильный телефон? Все знакомые знают, что он поздно засыпает и поздно просыпается, ближе к одиннадцати. Но телефон продолжал звонить. Он поморщился и, поднявшись, прошел в другую комнату. Увидев номер звонившего, поморщился еще больше. Кажется, следователь Мельников решил, что может звонить в любое время дня и ночи. Черт бы его побрал! Лучше бы работал эффективнее и не звонил по каждому поводу.

— Слушаю вас, — недовольным тоном произнес эксперт.

— Это Мельников, — услышал он торопливый голос следователя, в котором звучали торжествующие нотки, — мы сегодня утром уже вычислили преступника, и сейчас его привезут к нам.

— Поздравляю, — спокойно и даже где-то равнодушно сказал Дронго, — теперь остается узнать, кто этот преступник.

— Водитель Колосковых — Петру Кыркелан, — назвал имя преступника Мельников. — Можете себе представить, у него есть судимость за хищение в особо крупных размерах. И он не просто водитель, а бывший заведующий автомастерской, который прекрасно разбирается в машинах.

— И Колосков не знал о том, что у его водителя судимость?

— Знал, но все равно взял к себе водителем, — пояснил следователь, — дело в том, что Кыркелана осудили еще в девяносто пятом. Тогда он был заведующим автомастерской, и у них украли сразу три дорогие иномарки. Он доказывал, что автомобили украла мафия, но прокурору удалось доказать, что сам Кыркелан был связан с ними, и он получил двенадцать лет. Отсидел пять и вышел по амнистии. Потом работал водителем в управлении Моссовета, перешел на работу в Министерство финансов, на дежурную машину, а уже оттуда его взял к себе Колосков.

— Поэтому вы его подозреваете?

— Не поэтому. Мы проверяли, кто был в доме Пурлиевых в тот день. Когда вы туда приехали, там находились только хозяин дома, его кухарка и садовник. Охрана подтвердила, что никого посторонних не было. Но через некоторое время появилась машина Колосковых, которая привезла супругу Пурлиева. Однако водитель уехал не сразу. Он зашел поговорить с садовником и только после этого покинул коттедж. Мы убеждены, что за это время он мог каким-то образом испортить автомобиль Пурлиева и положить яд в бутылку Бахрома, который, видимо, случайно увидел, чем он занимается. Мы его арестовали и сейчас будем допрашивать.

— Его прежняя судимость и работа в автомастерской не являются доказательствами его вины, — возразил Дронго.

— В таком случае назовите нам имя преступника, — разозлился Мельников. — Мы провели огромную работу, просмотрели все видеокамеры у соседей и сумели вычислить Кыркелана, а вы сразу хотите его выгородить, чтобы доказать свое превосходство. Только учтите, что, по нашим данным, кроме приехавшего водителя и семьи Пурлиевых, там были еще четыре человека. Кухарка, которая явно не разбирается в машинах и вообще не выходила из дома, убитый садовник, которого отравили, и вы двое с господином Вейдеманисом. Если я не смогу доказать вину водителя Колосковых, то вы с ним останетесь единственными подозреваемыми в этом деле. Иначе придется поверить, что садовник отравил сам себя, а Ягмыр Пурлиев нарочно перевернул свой автомобиль, чтобы запутать нас таким необычным образом. Вам этот вариант нравится больше?

— Не нужно меня шантажировать, — поморщился Дронго, — вы прекрасно понимаете, что мы не убивали садовника и не копались в машине хозяина дома. А ваша версия насчет несчастного водителя не выдерживает никакой критики. Каким образом он открыл машину? У него что, были ключи от «БМВ», который не так легко открыть? А самое главное, каким образом он вошел в комнату садовника и сумел подсыпать яд в его бутылку, если Бахром все время находился в помещении?

— Не нужно усложнять нам задачу. Я его допрошу, и он во всем сознается. Его явно купили. Либо политические оппоненты Пурлиева, либо его коммерческие конкуренты. Мы ведь проверили «Прометей» и убедились, что вы были правы. Наблюдение за Пурлиевым и приехавшими англичанами организовали именно по приказу Дмитрия Долгушкина. Возможно, что этот Долгушкин нанял водителя Колосковых, прекрасно зная, что тот может беспрепятственно проникнуть в Жуковку. Оставалось заплатить ему деньги и объяснить, что именно следует делать.

— Тогда Долгушкин — главный организатор убийства садовника и покушения на Пурлиева, — подвел итог Дронго. — Но и это необходимо доказать. Что вы сможете предъявить задержанному водителю? Только его прошлые грехи? Но он уже отсидел за них пять лет. А вы хотите снова его посадить или допросить с пристрастием, чтобы он во всем сознался. Ну, под вашим давлением или под пытками он может сознаться в чем угодно. Однако это не поиски истины, а подгонка фактов под удобную вам версию.

— Я больше не буду с вами разговаривать, — возмутился Мельников, — вы постоянно пытаетесь доказать мне свое превосходство. Может, у меня нет такого опыта, как у вас, но я не спал двое суток, пытаясь вычислить этого убийцу. И наконец нашел его. Других вариантов просто не существует. Вместо того чтобы критиковать, найдите настоящего преступника, и я первый сниму перед вами шляпу. Если убрать вас двоих, то там остаются только кухарка и супруга

Пурлиева. Ведь она вернулась домой и никуда больше не отлучалась. Но нам сложно поверить, что кто-то из них мог так хорошо разбираться в автомобилях и отравить садовника.

— Это тоже логично, — согласился Дронго. — И все же позвоните мне, когда потерпите неудачу. Хотя я желаю вам успехов.

— Уже хорошо, что вы наконец со мной согласились, — сказал на прощание следователь и отключился.

Дронго взглянул на телефон и, пожав плечами, собрался вернуться в спальню, но, посмотрев на часы, решил, что не стоит снова ложиться, и отправился в ванную комнату, чтобы принять душ. Через час он позвонил Вейдеманису:

— Приезжай ко мне, у меня целая куча новостей.

Еще через час Эдгар был уже у него, и они устроились на кухне. Дронго рассказал о вчерашней беседе с главным бухгалтером, Курбановым, Натальей и Милой, затем пересказал утренний разговор со следователем. Вейдеманис внимательно слушал. Как опытный разведчик, он умел слушать и слышать и делать выводы из сказанного. Когда Дронго закончил, Эдгар покачал головой:

— Этот водитель просто физически не успел бы одновременно отравить садовника и залезть в чужой «БМВ». Машины стоят в противоположном конце участка. А флигель, где жил Бахром, совсем с другой стороны. Нет, он бы точно не успел.

— Расскажи об этом Мельникову, — посоветовал Дронго, — он уверен, что после его допроса несчастный водитель во всем сознается и расскажет, кто нанял его. И еще он подозревает Долгушкина, как главного организатора убийства и покушения на Пурлиева.

— Ты сам виноват, — усмехнулся Вейдеманис, — рассказал следователю о «Прометее» и даже помог вычислить организатора наблюдения. Теперь он от Долгушкина не отстанет. Боюсь, что их акции снова начнут падать, после того как он решит задержать на несколько дней Дмитрия Павловича. А может, он его тоже «допросит» и получит признание во всех смертных грехах.

— Обрати внимание на двадцать тысяч, которые снял Пурлиев якобы для поездки в Будапешт. Он ведь никуда не поехал, я уточнил у Виноградовой, и ничего не покупал, оставил эти деньги себе. Тогда куда он их дел?

— Он мог просто потратить их по частям, — возразил Вейдеманис.

— Это примерно шестьсот пятьдесят тысяч рублей. Интересно, на что он мог потратить такую сумму?

— Для мультимиллионера это не такие уж большие деньги, и ты об этом прекрасно знаешь, — напомнил Эдгар.

— Я всю ночь думал об этих преступлениях, — признался Дронго, — и, кажется, уже начинаю понимать, каким образом все произошло. Но пока у меня не так много доказательств. Если бы Мельников не искал выдуманных преступников, а прислушивался к моим советам, все было бы гораздо проще. В «Прометей» он поехал сразу, так как там можно было найти людей, которые следили за Пурлиевым, легко вычислить организатора этих наблюдений и обвинить его во всех смертных грехах. А когда я предложил ему провести тщательный обыск в доме Пурлиевых, он не обратил на мои слова никакого внимания.

— Прокурор мог не дать санкцию на обыск, — возразил Вейдеманис, — трудно объяснить мотивы подобного обыска, после того как Пурлиев попал в аварию. Получается, что хотят еще и наказать пострадавшего человека. Ты должен понимать состояние следователя, который придет просить санкцию на обыск, и положение прокурора, который не захочет эту санкцию давать.

— А следователь должен понимать, что я в тысячу раз опытнее и провел гораздо больше расследований, чем он проведет за всю свою жизнь, — в тон напарнику ответил Дронго. — И если я предлагаю провести такой обыск, то он должен сидеть в кабинете прокурора до тех пор, пока не получит разрешение на обыск и не проведет его по всем правилам.

— Тогда это будет не следователь Мельников, а сын или племянник сыщика Дронго, — улыбнулся Эдгар.

— Нашел чем меня утешать, — отмахнулся Дронго, — я уверен, что нам нужно отправиться в Жуковку и самим провести там обыск. Пусть даже незаконный.

— И нас сразу арестуют, — кивнул Вейдеманис. — Не забывай: пока Мельников не включил нас в число подозреваемых, но ты сам говорил, что он вспоминал о нашем появлении в Жуковке. И если мы попытаемся провести незаконный обыск, то нас сначала задержат, затем арестуют по приговору суда, а потом и обвинят в убийстве садовника и покушении на Пурлиева. Будет лучше, если ты позвонишь Делером и попросишь разрешения снова приехать к ней в Жуковку. Тогда мы и проведем этот обыск.

— Во-первых, я не буду звонить, — мрачно произнес Дронго, — во-вторых, она никогда не разрешит, в-третьих, вообще не захочет нас снова видеть. Я мог бы назвать еще несколько причин, но и этих вполне достаточно, чтобы не звонить и не ехать в Жуковку.

— Значит, остается ждать, пока Мельников допросит водителя и заставит его признаться, а может, потом заставит признаться и самого Долгушкина. Но это порочный путь, и мы оба прекрасно это понимаем. Нужна альтернатива. Каким образом мы можем оказаться в Жуковке и провести обыск? Или заставить следователя его сделать.

— Никаким, — угрюмо ответил Дронго, — это настоящий тупик. Если мы не сможем заставить его поверить нам и провести настоящий обыск, то ничего не докажем.

— Скажи, что ты все-таки хочешь там найти?

— Деньги. Я уверен, что там должны быть спрятаны деньги, которые заплатили возможному убийце. Или человеку, который должен был немного покопаться в «БМВ», чтобы Пурлиев перевернулся на трассе.

— Предположим, мы найдем деньги, — кивнул Вейдеманис, — но я не совсем понимаю, что это доказывает?

— Все, — ответил Дронго. — Тогда моя теория верна на все сто процентов, и я смогу выстроить мозаику этого преступления.

— Я пока ничего не понимаю, — признался Эдгар, — но привык тебе доверять. А если все-таки попытаться уговорить Мельникова?

— Только в том случае, если его подозреваемый ни в чем не признается и он снова обратится ко мне за советом, после чего пойдет к прокурору за санкцией на обыск. Но теперь все зависит от этого Кыркелана. У меня есть надежда, что Мельников не сможет его «расколоть». С одной стороны, водитель высокопоставленного лица, и его нельзя просто так прессовать, прибегая к обычному физическому насилию. А с другой — этот тип сидел в тюрьме и хорошо изучил все подобные правила. Признаваться в чужом преступлении можно только в том случае, если пытаешься скрыть свое, еще более тяжкое. Значит, нам остается ждать. Где у нас шахматы? Хотя в шахматы ты меня всегда обыгрываешь, давай лучше в нарды.

— А в эту игру ты меня всегда обыгрываешь, — улыбнулся Вейдеманис, — я до сих пор не совсем понимаю, как ты бросаешь кости. Никогда в жизни не видел подобного. Бросаешь их из-под руки, выворачивая ладони, и почти всегда получаешь нужный результат. Как это тебе удается?

— Просто привык бросать именно так. Ладно, принесу шахматы, хотя ты меня все равно обыграешь, — решил Дронго.

Они играли уже четвертую партию, когда зазвонил телефон. Счет был два с половиной на пол-очка. Дронго сделал одну ничью белыми, дважды проиграл черными и теперь, играя белыми, медленно двигался к победе.

Подойдя к телефону, он увидел номер Мельникова и поднял трубку:

— Что опять случилось?

— Вы, как всегда, оказались правы, — раздался раздраженный голос следователя, — этот водитель ни в чем не признался. Он показал, что пару минут поговорил с садовником, зашел в туалет и сразу же уехал.

— Что и следовало доказать, — усмехнулся Дронго.

— А теперь что мне делать? — поинтересовался Мельников. — Оставить вас двоих в качестве подозреваемых?

— Это еще более глупый ход. Вам нужно срочно провести тщательный обыск в доме Пурлиевых в Жуковке. А заодно обыскать флигель, где жил садовник.

— Без санкции прокурора не могу, — ответил следователь.

— Тогда получите санкцию, — предложил Дронго, — это нужно сделать, иначе мы ничего не сможем узнать или доказать.

— Это невозможно, — возразил Мельников, — у меня нет никаких оснований. Лучше я поеду к ним и попрошу разрешения у госпожи

Пурлиевой, чтобы не выглядеть полным идиотом перед прокурором.

— Она может не разрешить, — вздохнул Дронго.

— В таком случае вернусь за санкцией прокурора. А этого водителя Колосковых нам придется пока отпустить.

— Что и требовалось доказать, — негромко произнес эксперт.

— Что вы сказали? — не понял Мельников.

— Ничего, — сказал Дронго и, отключив телефон, вернулся к игре.

Не успели они с Вейдеманисом закончить очередную партию, как телефон снова зазвонил, и снова это был следователь.

— Слушаю вас, — поднял трубку Дронго. — Вы уже поговорили с Делером Пурлиевой?

— Это невозможно, — услышал он глухой голос Мельникова.

— Почему? Что опять произошло?

— Ее задушили. Я приехал к ним в Жуковку и нашел ее мертвой в гостиной. Алло, вы меня слышите?

— Мы будем играть? — спросил Эдгар.

— Нет, — растерянно ответил Дронго, — кажется, эту партию я уже проиграл.

Глава 16

Он тяжело опустился на стул и вздохнул:

— Этого я и боялся. Ее задушили, прямо в доме. Следователь приехал в Жуковку и нашел ее в гостиной уже мертвой.

— Там был кто-то еще? — спросил Эдгар.

— Пока ничего не знаю. Давай поедем туда, — предложил Дронго, — думаю, этому молодому придурку понадобится наша помощь.

— Поехали, — поднялся Вейдеманис, — потом доиграем.

Уже через несколько минут они мчались в автомобиле по направлению к подмосковному поселку. Дронго позвонил Мельникову:

— Что у вас происходит?

— Я вызвал бригаду экспертов из МУРа, — сообщил следователь, — мы уже обыскали дом. Здесь никого не было в момент убийства. У кухарки был выходной, а водитель был в городе. Мы считаем, что ее задушили примерно два часа назад. Кто-то влез в дом и задушил женщину. В этом поселке никто не закрывает входную дверь, привыкли к охране. Видимо, убийца застал ее врасплох. Было бы неплохо, если бы вы сами сюда приехали, — сумел выдавить он.

— Мы уже едем, — сказал Дронго, убрал телефон и посмотрел на Эдгара: — В доме никого не было, а женщину нашли убитой.

— И убийца опять испарился, — сквозь зубы процедил Вейдеманис. — Кажется, им нужно менять следователя или взять тебя в качестве консультанта. Куда делся убийца, если в поселок нельзя войти или выйти, минуя охрану? У тебя есть какие-то предположения?

— Пока только предположения, — ответил Дронго, — но мне нужно все проверить на месте.

Больше он не сказал ни слова, пока они не приехали на место. Там уже работали человек десять экспертов, сотрудников полиции и следователей. Прибыл даже местный прокурор. Мельников ходил потерянный и злой. Увидев Дронго, он позвал его на улицу и нервно заговорил:

— Мне это дело не нравилось с самого начала, нужно было сразу от него отказаться. Но я встретил вас, и вы меня завели. Потом я узнал, кто вы такой, и решил доказать, что и сам могу провести расследование. А теперь вляпался в это дело с головой, у меня два трупа, одно покушение на убийство, и единственный подозреваемый оказался непричастен к этим преступлениям.

— Не нужно нервничать, — посоветовал ему Дронго, — давайте сначала внимательно все осмотрим. Еще раз.

— Это бесполезно, — вздохнул следователь, — здесь работает столько наших специалистов. Вы думаете, что может произойти чудо? Пройдете по дому, обнаружите не найденные нашими экспертами отпечатки пальцев или забытый убийцей его паспорт и сразу все поймете? Но так не бывает.

— Не нужно мне рассказывать, что бывает, а чего нет. Я все равно осмотрю весь дом, — решил Дронго.

Он вернулся в гостиную, где лежала женщина, над которой уже работали двое экспертов, и, наклонившись к убитой, спросил:

— Что здесь было?

— Ее задушили, — пояснил один из экспертов, — никаких сомнений. Очки валялись в стороне. Видимо, упали, когда она пыталась вырваться.

Дронго посмотрел на очки, лежавшие в стороне, и возразил:

— Нет, они не были на ней, когда упали на пол. Она не надевала очков в присутствии знакомых людей, только при незнакомых. Очки лежали на столе, и она смахнула их рукой. Или это сделал убийца. Но, скорее всего, она сама, когда пыталась дотянуться до них.

Он неожиданно лег на пол.

— Оригинал, — недовольно пробормотал Мельников, вошедший в гостиную, — все никак не может успокоиться, хочет доказать, что может что-то сделать.

— Там лежит какая-то бумажка, — быстро поднялся Дронго, — прямо за диваном. Давайте отодвинем его и достанем ее.

Один из экспертов подошел к нему, и они вместе отодвинули диван. На полу валялась стодолларовая купюра. Дронго наклонился, чтобы поднять ее, но Мельников вдруг воскликнул:

— Не трогайте ее, может, там остались отпечатки пальцев!

— Тогда вы поднимите, — попросил Дронго эксперта, который был в бесцветных перчатках.

Тот поднял купюру, показал ее следователю и заметил:

— Богатые люди, разбрасываются такими деньгами.

— Эта купюра выпала из пачки, — мрачно пояснил Дронго, — можете не сомневаться. Отправьте ее на экспертизу, но я уверен, что там будут только отпечатки пальцев Делером.

— Почему вы в этом так уверены? — не понял эксперт.

— Эти деньги выпали из ее рук, — ответил Дронго. — Но давайте продолжим наш осмотр. Сначала нужно осмотреть кухню и спальню девочки. Надеюсь, ей еще не успели позвонить, чтобы сообщить о смерти матери?

— Нет, — ответил Мельников, — она сейчас в городе, и я приказал пока не звонить ей.

— Правильно сделали.

— А почему нужно осматривать другие комнаты, а не спальни Пурлиевых? — поинтересовался следователь. — Логично предположить, что они могли прятать нечто ценное именно в своих комнатах.

— Так могли подумать и они, но так мог подумать и любой другой человек. Поэтому умные люди никогда не прячут денег в своей комнате, — сказал Дронго, выходя из гостиной и направляясь к лестнице, ведущей наверх. Он поднялся и вошел в комнату дочери Пурлиевых. Стол, стул, два кресла, большая кровать, встроенные книжные шкафы, большие шкафы с другой стороны для платьев и костюмов, зеркала в полный рост, специальные отделения для обуви, а в углу навалены мягкие игрушки. На стенах висели фотографии маленькой девочки, которая постепенно становилась молодой девушкой, и ее дипломы.

Дронго начал осторожно осматривать их, пытаясь найти что-нибудь, спрятанное за рамками, потом внимательно осмотрел мягкие игрушки. Мельников внимательно следил за ним, презрительно кривя губы.

Дронго начал простукивать стенки шкафов, затем подошел к подоконнику, ощупал нижнюю часть и удовлетворенно кивнул — со стороны, примыкающей к окну, было пустое пространство. Он засунул туда пальцы, осторожно выдвинул на себя мраморный подоконник, который оказался своеобразным пеналом. На пол упали сразу две пачки денег. Две пачки стодолларовых купюр. Мельников негромко выругался, а Дронго вытащил из кармана чистый носовой платок, поднял обе пачки и протянул их Мельникову.

— Срочно на экспертизу, — попросил он, — и пусть как можно скорее установят, чьи отпечатки нашли на этих деньгах.

— Обязательно. — Мельников уже понял, что лучше слушать этого необычного человека и ничего не спрашивать. Он забрал обе пачки и быстро вышел из комнаты.

Закончив осмотр, покинул комнату и Дронго. В коридоре его ждал Эдгар. Мельников распорядился повсюду пропускать их, пояснив, что это его новые помощники.

— Я нашел в тайнике в комнате дочери Пурлиевых двадцать тысяч долларов, — сказал Дронго.

— Тогда что еще ты ищешь? — не понял Вейдеманис.

— Другие деньги. В гостиной на полу лежала стодолларовая купюра, которая, очевидно, выпала из другой пачки. В доме должны были быть деньги мужа и деньги жены, которые спрятаны независимо друг от друга. Если мои выводы правильны, то это преступление самое запутанное и самое неожиданное в наших расследованиях.

Он спустился вниз и, пройдя в кухню, осмотрел банки и кастрюли, заглянул во все шкафы. Одна из банок с гречневой крупой оказалась заполненной только на четверть. Он потряс ее, затем осмотрел другие и, вернувшись в гостиную, откуда уже унесли тело погибшей, снова начал что-то высматривать.

— Что вы ищете? — не выдержав, спросил Мельников. — Там уже ничего нет, мы все проверили, даже со служебной собакой. Кроме этой купюры, которая упала под диван, больше ничего не было. И еще ее очки, лежавшие рядом с диваном. Мы все осмотрели.

— Не все, — возразил Дронго, наклоняясь к полу и поднимая горошинку гречневой крупы, — вот, видите?

Мельников улыбнулся, переглянувшись с молчавшим Вейдеманисом. Этот эксперт просто чокнутый, подумал он, или все-таки шарлатан. Хочет показать, что по одной крупинке может сделать какие-то выводы.

— Она может рассказать нам о преступнике? — не скрывая иронии, спросил следователь.

— Да, — ответил Дронго и серьезно добавил: — Я ведь просил вас два дня назад провести здесь тщательный осмотр и получить санкцию прокурора на обыск, а вы этого не сделали, опасаясь за свое реноме.

— Ну и что? Что можно сказать по этой крупинке?

— Деньги, которые я нашел, принадлежат Ягмыру Пурлиеву, именно он прятал их в комнате дочери. Но мать никогда бы не стала прятать там деньги, это уже психология, поэтому я пошел искать ее тайник на кухне и нашел в верхнем шкафу банку с гречневой крупой, заполненную на треть. Причем было заметно, что это старая крупа. А внизу, в другом месте, находилась банка с хорошей крупой. Вы видели хозяйку, которая держит дома две банки с гречневой крупой, причем одна лежит так далеко, что доставать ее можно только с помощью лестницы? Я со своим ростом с трудом снял ее оттуда. Значит, вторая банка служила прикрытием. На полу, где под диваном мы нашли стодолларовую купюру, лежала вот эта горошинка старой крупы, следовательно, в верхней банке под крупой прятали деньги. Там могли быть три или четыре пачки денег, которые вытащили оттуда сегодня утром, и одна гречневая крупинка случайно упала в гостиной. Теперь мы знаем, что у обоих супругов были секреты друг от друга. Но самое главное, сможем нормально восстановить события, происходившие в этом доме за последние несколько дней.

— И вы сможете сказать, кто стоит за этими преступлениями? — не поверил Мельников.

— Думаю, что да. Но сначала проверьте деньги, которые я вам передал, и купюру, которую мы нашли. Только после этого мы соберемся и я расскажу вам, как все произошло.

Мельников задумчиво кивнул. Он все еще совсем не понимал, что именно происходит и как возможно вычислить убийцу.

— Найдите телефоны кухарки и водителя, — обращаясь к нему, попросил Дронго.

— Да, конечно. — И следователь поспешил выйти из комнаты.

Он вернулся почти сразу, протянул листок бумаги с номерами обоих телефонов и сказал:

— Вы можете не поверить, но вчера вечером здесь были гости. Сначала сюда приехал конкурент Пурлиева господин Долгушкин, а после его отъезда здесь появился господин Адамс, он сейчас исполняет обязанности президента компании. Самое интересное, что хозяйка дома отпустила водителя и кухарку и принимала гостей одна. Мне об этом сообщили охранники поселка. Каждый из гостей пробыл здесь чуть больше часа. Может, кто-то из них был любовником Делером, и они намеренно убрали мужа Пурлиевой?

— У вас бурная фантазия, господин следователь, — усмехнулся Дронго, — вам надо писать книги. Но предположим, что вы правы. Тогда кто задушил госпожу Пурлиеву? Ведь ее убили сегодня утром, а вице-президент Адамс и господин Долгушкин были здесь вчера вечером. Или вы полагаете, что один из них задушил ее вечером, а нашли тело только сегодня утром?

Мельников нахмурился, но ничего больше не сказал. Дронго набрал телефон Полины Яковлевны:

— Вы уже знаете, что случилось?

— Знаю, — заплакала кухарка, — мне уже позвонили и сообщили. Это такой ужас! Бедная девочка, их дочь осталась полной сиротой. Я даже не знаю, что теперь будет. С кем мне работать и кто останется в этом доме?

— Останется их дочь, — ответил Дронго, — и вы сможете работать кухаркой, как и раньше. Компания Пурлиева все еще приносит неплохие доходы, и его дочь — единственная наследница. Почему вы говорите, что она сирота? Ее отец еще жив.

— Делером говорила мне, что у него нет никаких шансов, — вздохнула Полина Яковлевна, — и поврежденный мозг уже невозможно восстановить. Это такой ужас! — повторила она.

— Когда вы вчера уехали? — перебивая ее, поинтересовался Дронго.

— Достаточно рано, она отпустила меня примерно в пять часов вечера.

— Когда вы приедете сюда, в Жуковку?

— Меня уже вызвали. Наверное, через час.

— Хорошо. До свидания. — Дронго попрощался и тут же позвонил водителю: — Женя, здравствуйте. Где вы находитесь?

— Жду дочку Пурлиевых, стою около школы.

— Давно ждете?

— Я приехал полчаса назад, — ответил Женя, — а до этого сидел в нашем офисе, забрал оттуда почту и газеты для хозяйки.

— Вам еще не сообщили о том, что здесь случилось?

— Да, я знаю.

— Только учтите: девочке нельзя пока ничего говорить. Ни в коем случае! Сначала вызовут ее бабушку из Крыма. Куда вы обычно ее отвозите?

— На их квартиру. Она живет там и редко приезжает в Жуковку. Все-таки она уже взрослая, ей семнадцать лет, и она чувствует себя гораздо лучше, когда остается одна.

— Смотрите не проболтайтесь, — строго напомнил Дронго.

— Я не ребенок, — огрызнулся Женя, — все понимаю.

— А потом приезжайте в Жуковку, нам нужно будет переговорить.

— Хорошо, — пообещал водитель.

Дронго убрал телефон в карман. Мельников и Вейдеманис внимательно посмотрели на него.

— Я не совсем понимаю. Вы все-таки думаете, что это сделал Адамс? Или Долгушкин? — не выдержал следователь.

— Давайте дождемся результатов экспертизы, — задумчиво проговорил Дронго, — и тогда я расскажу вам все, что здесь произошло за последние два дня. Но до этого мне нужно уточнить еще один важный момент.

Глава 17

Дронго сидел в гостиной, безучастный к входившим и выходившим сотрудникам полиции, когда ему сообщили, что приехала кухарка. Она прошла в комнату и села на краешек стула. Дронго обратил внимание на ее руки. Крупные, крестьянские, с узловатыми пальцами. Она все время вытирала носовым платком заплаканные глаза, говорившие о ее состоянии.

— Вчера к вам приезжало двое гостей, — сказал эксперт.

— Не знаю, — помотала головой Полина Яковлевна, — меня здесь не было.

— Она часто отпускала вас в последнее время?

— Нет, но вчера разрешила уехать, даже приказала Жене меня отвезти.

— Вы уехали отсюда вместе с ним?

— Конечно. Я сидела в машине и ждала, пока Делером даст последние указания водителю. Он должен был утром отвезти девочку в школу, а днем забрать ее и поехать на городскую квартиру.

— Вы знали, что в кухне, в верхнем шкафу, в банке из-под старой гречневой крупы лежат деньги?

— Какие деньги? — удивилась кухарка. — Нет, я ничего не знала.

— В каком настроении вчера была Делером?

— В плохом, — призналась Полина Яковлевна, — она выглядела очень грустной. Я ее давно такой не видела, но понимала, что она переживает из-за мужа. Хотя он ее все время обижал, привозил сюда чужих женщин, она терпела и молчала.

— А как реагировал ваш водитель?

— Не знаю, я на него не обращала внимания. Хотя он тоже почему-то нервничал. Мы по дороге чуть не попали в аварию, когда на нас какой-то внедорожник выскочил. Ехал прямо по встречной полосе.

— Делером хорошо водила машину?

— Прекрасно, — ответила Полина Яковлевна, — она вообще почти всегда сама сидела за рулем. Водитель нужен для девочки. И он покупает продукты из магазина. Хотя вчера, когда мы ехали домой, Женя признался, что хочет уйти и открыть свое дело. Ну, я его не стала отговаривать. Конечно, с женщинами работать гораздо сложнее, чем с мужчинами, и вполне естественно, что молодой человек хочет собственное дело.

— Вы видели когда-нибудь господина Долгушкина?

— Я не могу его вспомнить.

— А господина Адамса?

— Да, он часто приезжал, очень порядочный и честный человек.

— Вы знали, что ваш хозяин собирался развестись и снова жениться?

— Знала, — всплеснула она руками, — но никогда не говорила об этом хозяйке. Не хотела ее заранее нервировать.

— Понятно. Спасибо вам за помощь.

— Какую помощь? — не поняла кухарка. — Я ничего такого не сделала, просто сказала о том, что знала. И больше ни о чем.

— Все равно спасибо. Последний вопрос. У Жени были друзья среди других водителей?

— Они все друг с другом дружат, — кивнула Полина Яковлевна.

— А с водителем Колосковых он тоже дружит?

— Нет. Тому ведь уже много лет, мужик строгий, серьезный, в тюрьме отсидел, а наш — молодой шалопай. Разве они подходят друг другу?

— Значит, молодых водителей среди ваших соседей нет? — улыбнулся Дронго.

— Есть, конечно. У Нестеровых водитель молодой, кажется, Славиком зовут, и они всегда ходят вместе с Женей. Как будто родные братья. Даже похожи друг на друга, хотя Женины родители приехали из Казани, а Славика из Ростова.

— Спасибо еще раз, — сказал Дронго и отпустил кухарку.

— Я не понимаю, зачем вы теряете время, — спросил Мельников, — что вам может рассказать эта несчастная женщина? Она даже не совсем понимает ваши вопросы. Если деньги лежали в банке из-под крупы, а она даже об этом не догадывалась, о чем еще можно говорить? И зачем уделять так много внимания молодому водителю, которого вообще здесь не было, когда погиб садовник?

— У каждого свои методы расследования, — возразил Дронго. — Мне еще нужно будет поговорить с Адамсом и Долгушкиным и дождаться результатов экспертизы.

Он позвонил Адамсу.

— Здравствуйте, господин вице-президент, я хотел у вас узнать о цели вашего вчерашнего визита в Жуковку.

— Добрый день, — ответил Адамс. — Откуда вы знаете о моем приезде? Вы следите за мной?

— Нет. Об этом сообщили охранники в поселке. Они видели вашу машину, когда вчера вечером вы приезжали к Делером Пурлиевой.

— Она меня сама вызвала, — объяснил Адамс, — спрашивала о перспективах нашей компании. И сделала несколько сенсационных предложений, которые меня очень удивили и даже напугали.

— Почему напугали?

— Она предложила объединить две компании в одну. Вместе с компанией Долгушкина. Это было так необычно, что я даже не знал, как именно мне следует реагировать на подобное предложение. Хотя, безусловно, оценил перспективы нашего роста. Если сумеем объединиться в одну компанию, то акции ее сразу пойдут вверх, без всяких сомнений. На этом можно сорвать очень большие деньги.

— И вы согласились?

— Надо подумать. И я точно знаю, что Ягмыр Джумаевич будет категорически против. Но... но, очевидно, он не скоро поправится, и его жена считает себя вправе так действовать. Даже вопреки его мнению.

— Он находится в коме, и врачи не дают никаких гарантий, — заметил Дронго.

— Может быть, — согласился Адамс, — но в любом случае он был бы категорически против. А если он очнется? Выйдет из комы и узнает о нашем слиянии? Боюсь, что у него произойдет еще один удар, от которого он уже не оправится.

— В каком настроении была Делером?

— В плохом. Круги под глазами, и вообще вид усталый. Наверное, понимает, как сложно будет руководить такой большой компанией. Хотя она предложила мне должность президента, двумя вице-президентами будут Горбштейн и сам Долгушкин.

— Он дал согласие?

— Я понял, что дал, она с ним вела предварительные переговоры. Делером деятельная женщина, и у нее все должно получиться. Она будет не самым худшим владельцем компании в отсутствие Ягмыра Джумаевича.

— И больше вы ни о чем не говорили?

— О разных мелочах. Она предложила уволить двоих наших сотрудниц. Я сказал, что мне нужна санкция самого Пурлиева, но она настаивала. Я не знаю, выйдет ли из комы наш президент, но в его отсутствие владельцем компании формально является его супруга, и мне придется уволить этих сотрудниц.

— Милу и Наталью, — понял Дронго.

— Вы уже знаете?

— Об этом несложно догадаться. Виноградова очень активно претендовала на место Делером, а Наталья — ее ближайшая подруга.

— Именно поэтому Делером требует уволить обеих, — вздохнул Адамс, — и мне придется это сделать. Хотя они работают неплохо, особенно Наташа. Но хозяйкой теперь стала Делером, и я вынужден подчиниться.

— А у вас нет своего мнения?

— Нет, — сразу ответил Адамс, — нет и не может быть. Вы меня не поняли. Семья Пурлиевых — единственный владелец компании. Они могут делать все, что угодно. Проводить сокращение, нанимать новых сотрудников, повышать или понижать зарплаты. Это их собственная компания. Конечно, они — умные люди и понимают, что нельзя заниматься самодурством, но все равно они — единоличные владельцы. Даже после того как мы соединим наши две компании в одну, семьдесят процентов всего капитала будет принадлежать семье Пурлиевых. И поэтому я буду выполнять все приказы Делером, пока не поправится Ягмыр.

— Вы разумный человек, — грустно заметил Дронго.

— Я — человек системы, человек команды, — пояснил Адамс, — и, если мне прикажут сократить собственную должность и самого себя, я сделаю это, не задумываясь.

— Помните, был такой французский фильм «Игрушка»? — неожиданно произнес Дронго. — Там хозяин фирмы предлагает главному редактору собственной газеты раздеться и пройтись в таком виде по редакции. И тот снимает с себя брюки. Тогда президент компании спрашивает: «Кто из нас хуже — я, который дал вам этот чудовищный приказ, или вы, готовый его исполнить?»

— Зачем вы мне это рассказали? — раздраженно спросил Адамс.

— Сам не знаю. Наверное, не стоило вам об этом напоминать.

Дронго закончил разговор, попрощался и перезвонил Долгушкину:

— Добрый день, Дмитрий Павлович.

— Здравствуйте, — узнал его голос Долгушкин, — мы ждем, когда вы наконец снова появитесь у нас в гостях. Вы ведь приходили как представители англичан?

— Мы пока ждем ответа из Лондона, — уклончиво ответил Дронго.

— А мы уже успели переговорить с Лондоном, и они нам сообщили, что не меняли своего решения и не посылали к нам никаких визитеров. Вот такая грустная история.

— Мы не сказали, что приехали из Лондона, — возразил Дронго, — мы всего лишь представляли интересы английской компании.

— Будем считать, что я вам поверил, — рассмеялся Долгушкин. — Но при этом вы умудрились натравить на меня сотрудников следственного комитета. Они отправились в «Прометей» и довольно быстро вычислили, кого именно представлял наш сотрудник и кто оплачивал заказ на наблюдение за Пурлиевым и его гостями.

— Это не мы, — заявил Дронго. — Насколько нам стало известно, вы готовы нарушить наши предварительные условия и объединить две компании — свою и Пурлиева — в одну. Неужели это не слухи?

— Видимо, слухи, — сказал Долгушкин, — ведь пока об этом никто не должен был знать. Мы только вчера вечером говорили об этом с женой Ягмыра, которая предложила мне этот удивительный план, а сегодня вы о нем уже в курсе. Я даже не берусь гадать, каким образом вы узнали.

— Очень просто, — пояснил Дронго, — вчера, сразу после вашего отъезда, Делером Пурлиева вызвала к себе господина Адамса и поручила его рассмотреть возможность подобного слияния. А сегодня утром он дал задание просчитать выгоды от такого слияния. Поэтому о вашем вчерашнем разговоре знают уже почти все сотрудники в компании Пурлиева.

— Тогда понятно, — успокоился Долгушкин. — Мы действительно говорили о возможном слиянии. Акции объединенной компании в таком случае могли бы вырасти процентов на двадцать пять от той цены, которая была зафиксирована несколько месяцев назад, в результате можно получить гораздо большую прибыль.

— И это самое главное, — не без иронии произнес Дронго.

— Безусловно, — не понял его сарказма Долгушкин.

Дронго попрощался, убрал телефон в карман и повернулся к Эдгару:

— Долгушкин и Адамс вчера успели побывать в Жуковке и поговорить обо всем с Делером. Судя по их рассказам, у нее были грандиозные планы реконструкции компании и ее деятельности уже на новом этапе. Эта женщина проявила навыки хорошего бизнесмена, видимо, научившись от своего мужа.

— С кем поведешься, — усмехнулся Вейдеманис.

— Я опять не понимаю, какое отношение имеют все эти переговоры к убийству, совершенному сегодня утром, — вмешался в разговор Мельников.

— Скоро поймете, — пообещал Дронго. — А пока позвоните и уточните, как там идет экспертиза. Мне важно получить результаты до сегодняшнего вечера. А ты, Эдгар, отправляйся к соседям и найди там водителя Славика. Это близкий друг Жени, водителя Пурлиевых.

Вейдеманис поднялся и пошел к дверям, но Дронго вдруг остановил его и добавил:

— Сделай так, чтобы они снова приняли тебя за своего, за водителя с неисправной машиной, который будет обсуждать с ними все возможные поломки.

— Постараюсь, — усмехнулся Вейдеманис, выходя из гостиной.

Мельников достал свой телефон. Переговорив с кем-то, отключился и сообщил:

— Они проверяют все найденные купюры, но на обеих пачках и на единственной купюре, лежавшей на полу, найдены одинаковые отпечатки пальцев. На двух пачках — отпечатки Ягмыра Пурлиева и его бывшего садовника Бахрома. А вот на купюре, которая была под диваном, — отпечатки самой Делером Пурлиевой и тоже садовника Бахрома. Понятно, что это практически невозможно, но эксперты доказывают, что ошибки быть не может. Я попросил перепроверить. Они перезвонят мне еще через полчаса. Проверяют каждую купюру, каждую бумажку, и везде есть отпечатки пальцев, в основном погибшего садовника, что вообще превращает наши трагические истории в какой-то водевиль или фарс.

— Нет, — возразил Дронго, — уже нет. Теперь остается собрать вечером всех, кого я приглашу в ваш кабинет, и я расскажу вам секреты этой запутанной истории.

— Кого приглашать? — деловито осведомился Мельников, доставая блокнот.

— Долгушкина, Адамса, Виноградову, Полину Яковлевну, водителя Женю, можно Наталью, — вспомнил он про молодую женщину, — и еще Курбанова, это представитель туркменской оппозиции. Записали?

— Да, — кивнул следователь, — мы пригласим всех. Когда их собрать?

— К пяти часам вечера. Я думаю, что мы уложимся, — сказал Дронго.

Глава 18

Мельников сделал все, как его попросил Дронго, и собрал всех в своем кабинете. Наталья и Мила сели рядом, приветливо улыбаясь друг другу. Полина Яковлевна, недовольно взглянув на обеих молодых женщин, уселась в другом конце кабинета, рядом с Женей. Господин Адамс и господин Долгушкин сели на стулья у стола. К ним присоединился Курбанов, который недовольно косился на всех собравшихся, не понимая, почему его вызвали к следователю. Вейдеманис устроился у дверей, а Мельников сидел за своим столом. Дронго вышел на середину комнаты. Она была не очень большой, поэтому все сидели достаточно близко друг к другу.

— Я полагаю, что эта трагическая история войдет в анналы криминальной хроники как яркая иллюстрация той магии лжи, на которой были замешаны все эти преступления, — начал он. — Я хочу рассказать вам, как все это произошло и какой урок мы все должны извлечь из этих трагических событий.

Итак, примерно два месяца назад нам начал настойчиво звонить господин Ягмыр Пурлиев, утверждавший, что у него очень важное и неотложное дело. Несмотря на мое отсутствие, он продолжал все время звонить, настаивая на личной встрече. И, наконец, она состоялась. Пурлиев заявил, что за ним следят представители туркменских правительственных сил, и просил о защите. При этом он очень настойчиво и подозрительно уговаривал меня прибыть к нему в Жуковку в определенный день и час, словно готовился разыграть именно в это время какой-то непонятный спектакль. И когда я пытался перенести нашу встречу, он категорически возражал.

Два месяца назад, господа, — подчеркнул Дронго, — от присутствующей здесь госпожи Виноградовой я узнал, что именно в это время произошел окончательный разрыв Пурлиева с его супругой, он объявил ей о своем решении развестись и жениться на другой.

— Да, — громко согласилась Милена, — он об этом говорил.

— Не мешайте, — зашикали на нее, и она замолчала.

— Два месяца назад, — продолжал Дронго, — он получил двадцать тысяч долларов и не провел их ни по каким счетам. Но еще за несколько месяцев до этого он уволил своего садовника и взял на его место опытного автомеханика и никудышного садовника таджика Бахрома.

Очевидно, свое преступление Ягмыр Пурлиев планировал достаточно давно, еще когда принимал на работу Бахрома. Он понимал, что жена не только не даст ему развода, но и предъявит конкретные претензии на имущество и компанию. Делиться ему не очень хотелось, а Милена подсказала, что можно вообще ничего не отдавать своим близким после достижения совершеннолетия дочери. Пурлиев решил избавиться от своей супруги. Для этого он принял на работу Бахрома, который должен был покопаться в машине «Ауди», на которой ездила Делером, и вывести ее из строя. Со стороны это выглядело бы как обычная авария. Но Пурлиеву необходимо было обеспечить себе алиби, иначе его могли заподозрить в убийстве собственной супруги. Поэтому смерть таджика Бахрома должна была произойти при двух важных свидетелях, какими окажемся мы с моим напарником — Эдгаром Вейдеманисом.

Именно поэтому он пригласил нас в определенный день и час, когда в минеральной бутылке Бахрома уже находился яд, положенный туда самим Пурлиевым. Ему было крайне важно, чтобы мы подтвердили его алиби. Жену и дочь он удалил из дома под предлогом поездки к Колосковым за щенком. А ведь до этого дня он был категорически против. Умная Делером понимает, что муж ничего не делает просто так, и вернулась домой, застав уже агонию и смерть садовника. Меня удивило, что ни сам Пурлиев, ни его жена не выказали особого изумления или сожаления. Оба прекрасно знали, что подобное должно произойти. Но как мог опытный автомеханник Бахром перепутать машины и испортить «БМВ» вместо «Ауди»? Даже ребенок может отличить эти автомобили. А тут, буквально через несколько часов, происходит авария, и Пурлиев в состоянии комы оказывается в реанимации. Невероятное стечение обстоятельств? Случайность? Ничего подобного. Полина Яковлевна говорила, что Бахром собирался уехать домой.

А собирался он к себе на родину именно потому, что у него появились деньги. Много денег. Я уверен, что Делером поняла, почему вместо опытного садовника муж привел бывшего автомеханика, и предложила Бахрому гораздо большую сумму. Именно поэтому он покопался в машине «БМВ», принадлежащей самому Пурлиеву. Тот обманул самого себя своей магией лжи и попал в собственную ловушку, когда жена перекупила убийцу.

Но возмездие существует. Пурлиев отравил садовника, не подозревая, что тот испортил именно его машину. И сразу после смерти Бахрома он выехал на мокрую трассу, где автомобиль перевернулся. Самое поразительное, что тайник Ягмыра был сделан в комнате его дочери, где мы нашли эти двадцать тысяч долларов, на которых были отпечатки пальцев самого Пурлиева и его садовника. Очевидно, сразу после смерти Бахрома Ягмыр Джумаевич забрал свои деньги. Но еще раньше свои деньги забрала из флигеля Делером. На стодолларовой купюре, которую мы нашли под диваном, тоже были отпечатки пальцев Бахрома. Садовник смекнул, что может взять деньги с обоих клиентов. Возможно даже, что он немного «подправил» и другую машину. Но Делером уже знала, что ему нельзя доверять.

— Как он мог это сделать?! — всплеснула руками Полина Яковлевна. — А я думала, что он порядочный человек. И еще говорил мне, что скоро уедет.

— С большими деньгами, — кивнул Дронго, — но они не принесли ему счастья. Пурлиев был уверен, что за ним кто-то следит, он даже обнаружил одну из этих машин. Нам достаточно быстро удалось выяснить, что автомобили принадлежат частному охранному агентству «Прометей», и они действительно организовали наблюдение за Пурлиевым и его компанией по просьбе конкурентов. Точнее, по заказу сидящего здесь господина Долгушкина.

Все посмотрели на Дмитрия Павловича. Тот покраснел, нахмурился и громко произнес, словно оправдываясь:

— Это был чистый бизнес. Мы не имеем никакого отношения к этим убийствам.

— Вас никто и не обвиняет, — сказал Дронго. — Но когда вы сорвали сделку с англичанами, это окончательно взбесило Пурлиева, и он с помощью Льва Эммануиловича начал целенаправленно вас разорять, теряя при этом миллионы. Разумеется, в такой ситуации подавать на публичный развод и терять другие миллионы ему уже не хотелось, поэтому был придуман план по устранению его супруги.

А ее несостоявшегося убийцу он отравил таким образом, чтобы тот умер буквально у нас на руках.

— Вот таким человеком он был, — подал реплику Долгушкин.

— Он был хорошим человеком, — возмущенно возразила Мила, — и не вам его судить. А насчет жены тоже неизвестно. В аварию попал сам Ягмыр, значит, он ничего против нее не планировал. А она действительно заплатила деньги садовнику, чтобы убить своего мужа.

— Она уже знала о вашем существовании, — пояснил Дронго. — Пока он изменял своей супруге, забавляясь на стороне, она молчала и терпела, но, когда решил развестись и лишить их единственную дочь доли наследства, Делером попыталась защитить права своей дочери и свои собственные. Поэтому заплатила Бахрому еще больше, и в результате из строя вышел «БМВ», а не ее «Ауди».

— Она защищала своего ребенка, — не успокаивалась Полина Яковлевна.

— Подождите, — прервал ее следователь, — дайте ему договорить.

— Делером была врачом по профессии и хорошо представляла себе, что такое кома, поэтому была уверена, что муж никогда не вернется в семью и не сможет лишить их дочь части наследства. Но появилась другая проблема. Ее начали шантажировать. Сидящий здесь водитель Женя догадался, что именно произошло в доме Пурлиевых. В разговоре с Эдгаром Вейдеманисом он обругал погибшего Бахрома, заявив, что тот мог стать миллионером, очевидно, имея в виду вымогательство денег у хозяев. А вчера вечером, когда они возвращались домой, он сообщил Полине Яковлевне, что собирается уйти отсюда и открыть свое дело.

— Какой кошмар, — тихо произнесла она, отодвигаясь от водителя, — Женя, неужели это правда?

— Он все врет, — нерешительно проговорил тот.

— Но каким образом? — спросил следователь. — Водителя не было в Жуковке со вчерашнего дня. Он здесь не появлялся, а женщину убили сегодня, эксперты в этом не сомневаются.

— Вчера вечером он должен был отвезти Полину Яковлевну в город, — продолжил Дронго, — но перед отъездом зашел к хозяйке. Вместе с Эдгаром мы обратили внимание, как нагло он вел себя еще в тот день, когда мы были в гостях у Делером, видимо, уже тогда считал себя почти победителем. Она дала ему деньги, но между ними произошел какой-то конфликт, или деньги случайно рассыпались на пол, и одна бумажка осталась лежать под диваном. Это были деньги, которые до него получил Бахром и которые нашла и забрала себе Делером. Самое поразительное, что каждый из супругов нашел и забрал именно свои деньги. Словно сам дьявол решил таким образом позабавиться.

Очевидно, Женя остался недоволен полученной суммой, ведь он говорил, что можно заработать миллионы. И тогда он придумал элементарный трюк, который легко проделать. Попросил своего друга привезти его в Жуковку, спрятав в багажнике автомобиля. Ведь никто не проверяет при въезде в поселок уже знакомые машины. Я еще утром обратил внимание на необычное время убийства. Делером убили примерно в девять часов утра, когда машины приезжают в поселок за своими начальниками. Женя спрятался в багажнике, затем вылез оттуда и незамеченным проник в дом. И здесь между ним и хозяйкой произошла перепалка. Он требовал еще денег, а она отказывалась ему платить. Тогда в бешенстве он бросился на нее, смыкая свои пальцы на ее шее, а после убийства вернулся к машине своего друга и снова спрятался в багажнике, а Славик вывез его из поселка.

Абсолютное алиби ему было обеспечено. Но он не учел одной небольшой детали — в этом поселке практически все знают друг друга, и, конечно, Полина Яковлевна сказала нам о его самом близком друге, в машине которого он мог бы спрятаться.

— Вранье! — вскочил со своего места Женя. — Все это вранье и глупости! У вас нет никаких доказательств!

— Есть, — возразил Дронго, — в машине, где ты прятался, остались твои многочисленные отпечатки пальцев. Внутри багажника. И еще показания готов дать твой товарищ. Эдгар, открой дверь.

Вейдеманис, сидевший у двери, открыл ее, и все увидели понуро стоявшего на пороге Славика, рядом с которым дежурили двое сотрудников полиции.

— Сука! — кинулся к нему Женя.

Но Эдгар коротким резким ударом отправил взбешенного убийцу в нокаут. Тот свалился как подрубленный и растянулся на полу.

— Я давно хотел это сделать, — с чувством удовлетворения произнес Вейдеманис.

Все потрясенно молчали. Вошедшие сотрудники полиции помогли подняться водителю и, надев на него наручники, вывели из кабинета следователя.

— Просто шекспировские страсти, — вставил Долгушкин.

— Значит, Ягмыр уже не выйдет из комы? — спросила Милена. Это вопрос волновал ее более всех остальных.

— Думаю, что нет, — ответил Дронго, — но, насколько я понял, вас теперь это не должно волновать, ведь решение о вашем увольнении еще не подписано.

— А зачем мне оставаться в этой компании, если там не будет Ягмыра? — удивилась Милена. — Остаться и работать с этим «сухарем»? — показала она на Адамса. — Я лучше сама уйду. Он меня все равно рано или поздно выгонит. Не простит, что я занимала такое место рядом с владельцем компании. А действительно, кто сейчас станет владельцем? Кому она будет принадлежать?

— Его дочери, — ответил Адамс. — Через несколько месяцев ей исполнится восемнадцать, и она может быть полноправным владельцем компании.

Милена взглянула на сидевшую рядом Наталью и почти весело произнесла:

— Не повезло нам, подруга, если бы был сын, у нас оставались бы какие-то шансы, а охмурить восемнадцатилетнюю девицу нам не удастся. Придется увольняться.

— Не нужно увольняться, — предложил Долгушкин, — оставайтесь. Для имиджа новой компании нужны такие дамочки, как вы.

— Для имиджа, — оскорбилась Мила. — А кто будет о нас заботиться, в Европу возить, побрякушки разные покупать? Или нам сидеть на одну зарплату? Так этого никогда не будет.

— Будут еще премии, — пообещал Долгушкин.

— Ага. И еще «Почетные грамоты» как ударникам труда, — съязвила Мила. — Ладно, пошутили, и хватит. Пойдем собирать манатки, подруга. Нам с этими господами не по пути. Кстати, давно хотела у тебя спросить, кто купил тебе твой старый «Фольксваген Пассат»? Покажи мне этого урода, жадину.

Обе дружно поднялись и вышли из кабинета.

— Я не понимаю, — подал голос Курбанов, — не понимаю, зачем вы меня позвали? Вы хотели доказать, что все это придумал сам Ягмыр и за ним никто не следил, а если и следил, то вот этот господин? — показал он на Долгушкина.

— Все так и есть, — подтвердил Дронго. — Туркменские агенты не следят за вами в Москве, и вы все их очень мало интересуете. Поэтому не нужно волноваться, никто не собирается вас похищать или убивать. Вы им просто неинтересны.

— Это нехорошее расследование, — поднялся со своего места Курбанов, — так нельзя говорить. Получается, что все вокруг хорошие, один Ягмыр плохой. Нет, нехорошее расследование, и я с ним не согласен.

— Тогда мы расторгнем наш договор, — предложил Дронго.

— Какой договор, — махнул рукой Курбанов, — нас не деньги волнуют, а свобода. А ты здесь такие ужасы придумал, такие сказки рассказал. — Он повернулся и пошел к выходу.

— Вы еще раз доказали свой высокий уровень, — задыхаясь от волнения, произнес Мельников. — Но как вы догадались про машину и багажник?

— Я ведь долго ползал по полу, — признался Дронго, — там были не только гранулы гречневой крупы, но и частицы ворса, которые попали с джинсов Жени. А он обычно бывает в багажниках автомобиля. И тогда я подумал о таком необычном способе перемещения и об алиби, которое никто не сможет опровергнуть.

Через четыре месяца после этих событий, когда дочери Ягмыра Пурлиева исполнилось восемнадцать лет, она разрешила отключить отца от аппарата жизнеобеспечения. К этому времени врачи были твердо убеждены в необратимости процессов его мозга. Говорят, что Полина Яковлевна под большим секретом рассказала всю историю матери Делером, а бабушка поделилась услышанным со своей внучкой. Но, возможно, это были только слухи.

Оглавление

Литературно-художественное издание

МАСТЕР КРИМИНАЛЬНЫХ ТАЙН

Абдуллаев Чингиз Акифович

МАГИЯ ЛЖИ

Ответственный редактор *А. Дышев*
Редактор *Т. Чичина*
Художественный редактор *А. Сауков*
Технический редактор *Г. Романова*
Компьютерная верстка *А. Пучкова*
Корректор *З. Харитонова*

Иллюстрация на переплете *В. Коробейникова*

ООО «Издательство «Эксмо»
123308, Москва, ул. Зорге, д. 1. Тел. 8 (495) 411-68-86, 8 (495) 956-39-21.
Home page: **www.eksmo.ru**   E-mail: **info@eksmo.ru**

Өндіруші: «ЭКСМО» АҚБ Баспасы, 123308, Мәскеу, Ресей, Зорге көшесі, 1 үй.
Тел. 8 (495) 411-68-86, 8 (495) 956-39-21
Home page: www.eksmo.ru   E-mail: info@eksmo.ru.
Тауар белгісі: «Эксмо»
Қазақстан Республикасында дистрибьютор және өнім бойынша
арыз-талаптарды қабылдаушының
өкілі «РДЦ-Алматы» ЖШС, Алматы қ., Домбровский көш., 3«а», литер Б, офис 1.
Тел.: 8 (727) 2 51 59 89,90,91,92, факс: 8 (727) 251 58 12 вн. 107; E-mail: RDC-Almaty@eksmo.kz
Өнімнің жарамдылық мерзімі шектелмеген.
Сертификация туралы ақпарат сайтта: www.eksmo.ru/certification

Сведения о подтверждении соответствия издания
согласно законодательству РФ о техническом регулировании
можно получить по адресу: http://eksmo.ru/certification/

Өндірген мемлекет: Ресей
Сертификация қарастырылмаған

Подписано в печать 20.01.2014.
Формат 84x108 $^1/_{32}$. Гарнитура «Petersburg».
Печать офсетная. Усл. печ. л. 15,12.
Тираж 5000 экз. Заказ № 8187.

Отпечатано в ООО «Тульская типография»
300600, г. Тула, пр. Ленина, 109.

ISBN 978-5-699-70137-7

Оптовая торговля книгами «Эксмо»:
ООО «ТД «Эксмо». 142700, Московская обл., Ленинский р-н, г. Видное,
Белокаменное ш., д. 1, многоканальный тел. 411-50-74.
E-mail: **reception@eksmo-sale.ru**

По вопросам приобретения книг «Эксмо» зарубежными оптовыми
покупателями обращаться в отдел зарубежных продаж ТД «Эксмо»
E-mail: **international@eksmo-sale.ru**

International Sales: International wholesale customers should contact
Foreign Sales Department of Trading House «Eksmo» for their orders.
international@eksmo-sale.ru

По вопросам заказа книг корпоративным клиентам, в том числе в специальном
оформлении, обращаться по тел. +7 (495) 411-68-59, доб. 2261, 1257.
E-mail: **vipzakaz@eksmo.ru**

Оптовая торговля бумажно-беловыми
и канцелярскими товарами для школы и офиса «Канц-Эксмо»:
Компания «Канц-Эксмо»: 142702, Московская обл., Ленинский р-н, г. Видное-2,
Белокаменное ш., д. 1, а/я 5. Тел./факс +7 (495) 745-28-87 (многоканальный).
e-mail: **kanc@eksmo-sale.ru**, сайт: **www.kanc-eksmo.ru**

Полный ассортимент книг издательства «Эксмо» для оптовых покупателей:
В Санкт-Петербурге: ООО СЗКО, пр-т Обуховской Обороны, д. 84Е.
Тел. (812) 365-46-03/04.
В Нижнем Новгороде: ООО ТД «Эксмо НН», 603094, г. Нижний Новгород,
ул. Карпинского, д. 29, бизнес-парк «Грин Плаза». Тел. (831) 216-15-91 (92, 93, 94).
В Ростове-на-Дону: ООО «РДЦ-Ростов», пр. Стачки, 243А. Тел. (863) 220-19-34.
В Самаре: ООО «РДЦ-Самара», пр-т Кирова, д. 75/1, литера «Е». Тел. (846) 269-66-70.
В Екатеринбурге: ООО «РДЦ-Екатеринбург», ул. Прибалтийская, д. 24а.
Тел. +7 (343) 272-72-01/02/03/04/05/06/07/08.
В Новосибирске: ООО «РДЦ-Новосибирск», Комбинатский пер., д. 3.
Тел. +7 (383) 289-91-42. E-mail: **eksmo-nsk@yandex.ru**
В Киеве: ООО «РДЦ Эксмо-Украина», Московский пр-т, д. 9. Тел./факс: (044) 495-79-80/81.
В Донецке: ул. Артема, д. 160. Тел. +38 (032) 381-81-05.
В Харькове: ул. Гвардейцев Железнодорожников, д. 8. Тел. +38 (057) 724-11-56.
Во Львове: ТП ООО «Эксмо-Запад», ул. Бузкова, д. 2. Тел./факс (032) 245-00-19.
В Симферополе: ООО «Эксмо-Крым», ул. Киевская, д. 153.
Тел./факс (0652) 22-90-03, 54-32-99.
В Казахстане: ТОО «РДЦ-Алматы», ул. Домбровского, д. 3а.
Тел./факс (727) 251-59-90/91. **rdc-almaty@mail.ru**

Полный ассортимент продукции издательства «Эксмо»
можно приобрести в магазинах «Новый книжный» и «Читай-город».
Телефон единой справочной: 8 (800) 444-8-444. Звонок по России бесплатный.

Интернет-магазин ООО «Издательство «Эксмо»
www.fiction.eksmo.ru
Розничная продажа книг с доставкой по всему миру.
Тел.: +7 (495) 745-89-14. E-mail: **imarket@eksmo-sale.ru**